SONHOS em TEMPO DE GUERRA

Memórias de Infância

SONHOS em TEMPO DE GUERRA

Memórias de Infância

NGŨGĨ WA THIONG'O

Tradução: Fábio Bonillo e Elton Mesquita

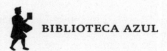
BIBLIOTECA AZUL

Copyright © 2010 by Ngũgĩ wa Thiong'o
Copyright da tradução © 2015 by Editora Globo S.A.

Todos os direitos reservados. Nenhuma parte desta edição pode ser utilizada ou reproduzida — em qualquer meio ou forma, seja mecânico ou eletrônico, fotocópia, gravação etc. – nem apropriada ou estocada em sistema de banco de dados sem a expressa autorização da editora.

Título original: *Dreams in a Time of War: A Childhood Memoir*

Texto fixado conforme as regras do Acordo Ortográfico da Língua Portuguesa (Decreto Legislativo nº 54, de 1995).

Editor responsável: Estevão Azevedo
Editor assistente: Juliana de Araujo Rodrigues
Preparação: Huendel Viana
Revisão: Jane Pessoa
Diagramação: Jussara Fino

CIP-BRASIL. CATALOGAÇÃO-NA-FONTE
SINDICATO NACIONAL DOS EDITORES DE LIVROS, RJ

T372s
  Thiong'o, Ngũgĩ wa, 1938-
  Sonhos em tempo de guerra : memórias de infância /
  Ngũgĩ wa Thiong'o ; tradução Fábio Bonillo, Elton
  Mesquita. - 1. ed. - São Paulo : Biblioteca Azul, 2015. il.

  Tradução de: Dreams in a Time of War: a Childhood Memoir
  ISBN 978-85-250-6092-1

  1. Thiong'o, Ngũgĩ wa, 1938-. 2. Escritores - Quênia -
  Biografia. I. Título.

15-23473   CDD: 920.9363.7
                                  CDU: 929:504.06

1ª edição, 2015 – 2ª reimpressão, 2022

Direitos exclusivos de edição em língua portuguesa para o Brasil adquiridos por Editora Globo S.A.
Rua Marquês de Pombal, 25 — 20230-240 — Rio de Janeiro — RJ
www.globolivros.com.br

Para Thiong'o pai, Kĩmunya, Ndũcũ, Mũkoma, Wanjikũ, Njoki, Björn, Mũmbi, Thiong'o K e minha sobrinha Ngĩna, na esperança de que seus filhos leiam isto e possam conhecer sua bisavó Wanjikũ e seu tio-avô Wallace Mwangi, também conhecido como O Bom Wallace, e o papel que eles representaram na formação de nossos sonhos.

Não há nada como um sonho para criar o futuro.

VICTOR HUGO, *Os miseráveis*

Aprendi
nos livros, meu caro amigo,
sobre homens sonhando e vivendo
e se esfaimando num quarto sem luz
que não podiam morrer já que a morte era pobre demais
que não dormiam para sonhar, mas sonhavam para mudar o mundo.

MARTIN CARTER, "Looking at Your Hands"

Nos tempos de trevas
Também haverá o cantar?
Sim, haverá o cantar
Sobre os tempos de trevas.

BERTOLT BRECHT, "Motto"

Wanjikũ wa Ngũgĩ, mãe do autor.

I

Anos mais tarde, quando lesse o verso de T.S. Eliot que diz que abril é o mês mais cruel, eu me recordaria do que me ocorrera num dia de abril em 1954, na fria Limuru, de cujo território, em 1902, outro Eliot, Sir Charles Eliot, então governador do Quênia colonial, reservou a melhor parte para as Terras Brancas. O dia me voltou, com seu frescor, vividamente.

Eu não havia almoçado naquele dia, e minha barriga esquecera o mingau de aveia que eu devorara naquela manhã antes da jornada de quase dez quilômetros até a Escola Intermediária Kīnyogori. Agora havia os mesmos quilômetros para transpor em meu caminho de volta a minha casa; tentei não ansiar demais por um bocadinho de comida naquela noite. Minha mãe era muito boa em fazer aparecer uma refeição por dia, mas quando se tem fome, é melhor encontrar alguma coisa, qualquer coisa, para afastar a mente das lembranças de comida. Era o que eu com frequência fazia na hora do almoço, quando as outras crianças pegavam a comida que haviam trazido e aqueles que moravam nas vizinhanças iam para casa comer durante o intervalo do meio-dia. Eu frequentemente fingia que ia para algum lugar, mas na verdade me enfiava na sombra de alguma árvore ou na proteção de uma moita, longe das outras crianças, apenas para ler um livro, qualquer livro, não que houvesse muitos deles, mas até mesmo anotações de aula eram

SONHOS EM TEMPO DE GUERRA 9

uma distração bem-vinda. Naquele dia folheei uma versão resumida de *Oliver Twist* de Dickens. Havia um desenho monocromático de Oliver Twist, com uma tigela na mão, olhando para um sujeito imponente, e uma legenda: "Por favor, senhor, posso comer um pouco mais?". Identifiquei-me com aquela pergunta; no meu caso, contudo, ela era com frequência dirigida a minha mãe, minha única benfeitora, que me dava mais sempre que podia.

Ouvir histórias e anedotas das outras crianças também era uma distração reconfortante, especialmente durante a caminhada de volta para casa, uma provação menor do que a da manhã, na qual tínhamos que correr descalços até a escola, por todo o trajeto, para evitar atrasos e as inevitáveis chibatadas na palma das mãos. No caminho de volta para casa, exceto para aquelas crianças de Ndeiya ou Ngeca, que tinham que cobrir quinze quilômetros ou mais, a caminhada era mais vagarosa. De fato, era melhor assim, matando o tempo na estrada antes da refeição noturna de regularidade incerta ou das tarefas dentro e no entorno do terreno da casa.

Kenneth, meu colega de sala, e eu costumávamos ser muito bons em matar o tempo, especialmente quando escalávamos a última colina antes de chegar em casa. Encarando o declive, cada um chutava uma "bola", sobretudo bombardeiras, para trás por sobre as nossas cabeças pela colina acima. O próximo chute era dado de onde a primeira bola pousara, e assim por diante, competindo para desbancar o outro até o topo. Não era o modo mais fácil ou o mais rápido de se chegar lá, mas tinha a virtude de nos fazer esquecer o mundo. Mas agora éramos grandes demais para aquele tipo de brincadeira. Ademais, nenhum jogo superava a narração de histórias quando se tratava de prender nossa atenção.

Com frequência nos aglomerávamos ao redor de quem quer que estivesse contando uma história, e aqueles que eram realmente bons naquilo tornavam-se os heróis do momento. Às vezes, ao competir pela proximidade com o narrador, um grupo puxava-o do caminho principal para um lado; o outro grupo empurrava-o para o outro, todo o bando ziguezagueando como ovelhas ao longo do caminho.

Naquela noite não foi diferente, exceto pela rota que tomamos. De Kĩnyogori até a aldeia natal, Kwangũgĩ ou Ngamba, e suas vizinhanças nós normalmente tomávamos um caminho que atravessava uma série de serras e vales, mas quando se ouvia uma história, não se notava a serra e os campos de milho, batatas, ervilhas e feijões, cada campo delimitado por árvores de acácia ou sebes vivas de maçã kei e moitas cinza espinhosas. O caminho por fim levava à área de Kĩhingo, passando por minha velha escola primária, Manguo, abaixo no vale, e depois subia uma colina de relva e árvores de acácia negra. Mas hoje, seguindo, como ovelhas, o líder contador de histórias, tomamos outra rota, ligeiramente mais extensa, ao longo da cerca da fábrica de calçados Bata de Limuru, passando pelo fedorento aterro de detritos de borracha e de couros e peles apodrecidas, até o entroncamento de trilhos ferroviários e estradas, uma das quais levava ao mercado. Nos cruzamentos havia uma multidão de homens e mulheres, provavelmente vindos do mercado, em animada discussão. A multidão avultou-se conforme trabalhadores da fábrica de calçados paravam e também se reuniam. Um ou dois garotos reconheceram alguns parentes na multidão. Segui-os, para ouvir.

— Ele foi pego em flagrante — diziam alguns.

— Imagine só, com balas nas mãos. Em plena luz do dia.

Todos, até mesmo nós, as crianças, sabíamos que um africano ser pego com projéteis ou cartuchos vazios significava traição; seria taxado de terrorista, e seu enforcamento seria a única consequência.

— Conseguimos ouvir um tiroteio — diziam alguns.

— Vi com meus próprios olhos quando atiraram nele.

— Mas ele não morreu!

— Morrer? Hmm! Os disparos voavam nos que estavam atirando.

— Não, ele voou até o céu e desapareceu nas nuvens.

Divergências entre os narradores dividiram a multidão em grupos menores de três, quatro e cinco pessoas ao redor de um narrador com sua própria perspectiva acerca do que ocorrera naquela tarde. Vi-me deslocando-me de um a outro grupo, catando fragmentos aqui e ali. Gradualmente ajuntei fios da história, e uma narrativa do que prendia a multidão surgiu, uma cativante história sobre um homem anônimo que fora detido próximo às lojas indianas.

As lojas foram construídas na serra, fileiras de edifícios uns diante dos outros, originando um enorme cercado retangular para os carros e os fregueses, com portas de saída nas esquinas. A serra descia em declive até uma planície onde havia edifícios, propriedade de africanos, de novo construídos de modo a formar um retângulo similar, sendo o espaço cercado usado com frequência como um mercado nas quartas-feiras e nos sábados. As cabras e as ovelhas à venda nos dois dias de feira eram atreladas em grupos no amplo espaço inclinado entre os dois conjuntos de centros de compras. Aquela área aparentemente havia sido o palco da ação que agora animava o grupo de contadores e ouvintes. Todos concordavam que, após algemar o homem, a polícia o havia colocado na traseira da caminhonete.

Repentinamente, o homem pulara e correra. Pega de surpresa, a polícia contornou com a caminhonete e perseguiu o homem, com as armas apontadas para ele. Alguns policiais saltaram e o perseguiram a pé. Ele se misturou aos fregueses e então correu por uma brecha entre duas lojas até o espaço aberto entre os estabelecimentos indianos e africanos. Nesse ponto, a polícia abriu fogo. O homem caía, mas apenas para levantar-se de novo e correr de um lado para o outro. De novo e de novo isso acontecia, terminando somente quando o homem ziguezagueou por entre os rebanhos de ovelhas e cabras, desceu os declives, passou pelas lojas africanas, cruzou os trilhos, até o outro lado, passando pelos apinhados alojamentos dos trabalhadores da Companhia de Calçados Bata de Limuru, subiu a serra, até desaparecer, aparentemente ileso, dentro das viçosas plantações de chá verde de propriedade de europeus. A perseguição transformara o perseguido, um homem anônimo, numa lenda instantânea, inspirando numerosos relatos de heroísmo e magia entre aqueles que haviam testemunhado o evento e outros que haviam ouvido a história de segunda mão.

Eu ouvira histórias similares sobre os guerrilheiros de Mau Mau, em particular de Dedan Kīmathi; mas no caso, até aquele momento, a mágica ocorrera muito longe, em Nyandarwa e nas montanhas do Monte Quênia, e os relatos nunca foram contados por alguém que fora testemunha ocular. Mesmo meu amigo Ngandi, o mais informado contador de histórias, nunca disse que havia de fato visto quaisquer das ações que descrevera tão graficamente. Adoro ouvir, mais do que contar, mas aquela era uma história que eu estava ávido por contar, antes ou depois da refeição. Da próxima vez que encontrasse Ngandi, eu talvez pudesse apresentar uma história própria.

As cancelas em formato de X da travessia pela via férrea estavam erguidas. Uma sirene soou, e o trem passou, lembrando a multidão de que havia ainda muitos quilômetros a percorrer. Kenneth e eu seguimos adiante, e quando não mais nos encontrávamos na companhia de outros estudantes, ele estragou o clima contestando a veracidade da história, ou pelo menos o modo como fora contada. Kenneth gostava de uma linha clara entre fato e ficção; não os apreciava quando misturados. Perto de sua casa, nos separamos sem ter concordado no grau de exagero.

Enfim, em casa, de volta a minha mãe, Wanjikū, e ao meu irmão caçula, Njinjū, e a minha irmã Njoki, e à mulher do meu irmão mais velho, Charity. Estavam acotovelados ao redor da lareira. Apesar de Kenneth, eu ainda estava tonto com a história do homem anônimo, tal como um daqueles personagens dos livros. Repentinas pontadas de fome me trouxeram de volta à realidade. Mas já passara do crepúsculo, e isso significava que em breve talvez se servisse uma refeição noturna.

A comida estava de fato preparada, foi-me entregue numa tigela de cabaça, em silêncio total. Mesmo meu irmão caçula, que adorava apontar minhas falhas, tais como chegar em casa após o crepúsculo, estava quieto. Quis explicar por que me atrasei, mas primeiro tinha que aplacar o ronco em minha barriga.

No fim, minha explicação não foi necessária. Minha mãe rompeu o silêncio. Wallace Mwangi, meu irmão mais velho, O Bom Wallace, como era popularmente conhecido, havia por pouco escapado da morte mais cedo naquela tarde. Rezamos por sua segurança nas montanhas. É esta guerra, disse ela.

2

Nasci em 1938, à sombra de outra guerra, a Segunda Guerra Mundial, de Thiong'o wa Ndũcũ, meu pai, e de Wanjikũ wa Ngũgĩ, minha mãe. Não sei em que posição me classificava, em quesito de idade, entre os vinte e quatro filhos de meu pai e suas quatro esposas, mas eu era o quinto filho da casa de minha mãe. À minha frente estavam minha irmã mais velha, Gathoni; meu irmão mais velho, Wallace Mwangi; e minhas irmãs Njoki e Gacirũ, nessa ordem, com meu irmão caçula, Njinjũ, sendo o sexto e último nascido de minha mãe.

Minha recordação mais antiga de casa é a de um amplo pátio, cinco cabanas formando um semicírculo. Uma delas era a de meu pai, onde cabras também dormiam de noite. Era a cabana principal não por causa de seu tamanho, mas porque postava-se equidistante das outras quatro. Era a que se chamava *thingira*. As esposas de meu pai, ou nossas mães, como as chamávamos, revezavam-se para levar comida à sua cabana.

A cabana de cada mulher era dividida em espaços com diferentes funções, tendo em seu centro uma lareira de três pedras; locais de dormir e uma espécie de despensa; uma grande seção para as cabras e, com muita frequência, um cercadinho, uma baia para engordar ovelhas ou cabras a serem abatidas em ocasiões especiais. Cada casa tinha um celeiro, uma cabaninha esférica sobre palafitas, com paredes feitas de galhos finos entretecidos. O celeiro era um indicador de abundância e de escassez. Após uma boa colheita, ficava repleto de milho, batatas, feijões e ervilhas. Conseguíamos prever se dias de fome se aproximavam ou não com o quanto havia no celeiro. Contíguo ao pátio havia um enorme curral para vacas, com galpões menores para bezerros. As mulheres coletavam o esterco das vacas e os excrementos das cabras e os depositavam num local de despejo próximo à entrada principal do quintal. Ao longo dos anos o aterro se transformara numa montanha coberta de acres urtigas verdes. A montanha era muito grande e me parecia assombroso que os adultos conseguissem escalá-la e descê-la com tanta facilidade. Descendo da colina em declive havia uma paisagem arborizada. Sendo uma criança que acabara de começar a andar, costumava acompanhar, com os olhos, minhas mães e os irmãos mais velhos transpondo o portão principal de nosso quintal, e me parecia que a floresta misteriosamente engolia-os nas manhãs, e de noite, também misteriosamente, regurgitava-os ilesos. Foi somente quando mais tarde fui capaz de caminhar um pouco além do quintal que vi que havia caminhos por entre as árvores. Aprendi que logo abaixo, além da floresta, estava o distrito de Limuru e, do outro lado da linha ferroviária, plantações de propriedade de homens brancos onde meus irmãos mais velhos apanhavam folhas de chá em troca de remuneração.

Então as coisas mudaram, não sei se gradual ou repentinamente, mas mudaram. As vacas e as cabras foram as primeiras a partir, deixando para trás galpões vazios. O aterro não era mais o depósito de esterco de vaca e excremento de cabras, mas puramente lixo. Sua altura tornou-se menos ameaçadora com o tempo e eu também já conseguia subi-lo e descê-lo com facilidade. Então nossas mães pararam de cultivar os campos ao redor de nosso pátio; elas agora trabalhavam noutros campos distantes do terreno. A *thingira* de meu pai foi abandonada, e agora as mulheres palmilhavam certa distância para levar comida a ele. Eu estava ciente da derrubada das árvores, deixando apenas tocos, do solo sendo arado, seguido pelo plantio de píretro. Era estranho ver a floresta retroceder conforme os campos de píretro avançavam. Ainda mais notável, minhas irmãs e irmãos estavam trabalhando sazonalmente nos novos campos de píretro que haviam devorado nossa floresta, quando antes haviam trabalhado somente do outro lado dos trilhos, nas plantações de chá pertencentes a europeus.

As mudanças na paisagem física e social não ocorriam em nenhuma ordem discernível; fundiam-se umas nas outras, todas um pouco confusas. Mas, de alguma maneira, com o tempo comecei a associar alguns fios, e as coisas tornaram-se mais claras tal como se eu estivesse emergindo de uma bruma. Aprendi que nossa terra não era exatamente nossa; que nosso terreno era parte da propriedade de um latifundiário africano, o Lorde Reverendo Stanley Kahahu, ou Bwana Stanley, como o chamávamos; que agora éramos *ahoi*, arrendatários sem contrato formal. Como viemos a ser *ahoi* em nossa própria terra? Perdêramos nossa terra tradicional para os europeus? A bruma não havia se dissipado inteiramente.

3

Meu pai, bastante alheado, falava muito pouco sobre seu passado. Nossas mães, ao redor das quais nossas vidas giravam, pareciam relutantes em divulgar os detalhes que conheciam. No entanto, fragmentos e pedaços, catados a partir de cochichos, insinuações e anedotas acidentais, gradualmente amalgamavam-se numa narrativa da vida dele e de seu lado da família.

Meu avô paterno era originalmente uma criança Maasai que se extraviara para uma herdade Gĩkũyũ nalgum lugar em Mũrang'a ou como refém de guerra, ou como cativo, ou como uma criança abandonada fugindo de alguma privação, como a fome. Inicialmente, ele não conhecia a língua Gĩkũyũ e as palavras Maasai que ele pronunciava com frequência soavam a um ouvido Gĩkũyũ como *tũcũ* ou *tũcũka*, portanto o chamaram de Ndũcũ, que significa "a criança que sempre dizia *tũcũ*". Ele também recebeu o nome geracional honorífico de Mwangi. O Vô Ndũcũ, diz-se, por fim casou-se com duas esposas, ambas de nome Wangeci. Com uma das Wangeci ele teve dois filhos, Njinjũ, ou Baba Mũkũrũ, como o chamávamos, e meu pai, Thiong'o, bem como três filhas, Wanjirũ, Njeri e Wairimũ. Com a segunda Wangeci, ele teve outros dois garotos, Kariũki e Mwangi Karuithia, também conhecido como Mwangi, o Cirurgião, assim denominado por ter depois se tornado um especialista na circuncisão masculina e praticado seu ofício por toda Gĩkũyũ e toda terra Maasai.

Eu não estava mesmo fadado a conhecer meu avô Ndũcũ ou minha avó Wangeci. Uma misteriosa doença assolara a região. Meu avô esteve entre os primeiros que se foram, seguido rapidamente por suas duas esposas e pela filha Wanjirũ. Pouco antes de morrer, minha avó, crendo que a família estava sujeita a uma maldição fatal do passado ou a um pesado feitiço de vizinhos invejosos — pois como podiam as pessoas cair mortas daquela maneira após um acesso de febre corporal? —, ordenou meu pai e seu irmão a buscarem refúgio com parentes que já haviam emigrado para Kabete, a quilômetros de distância, estando entre eles as irmãs Njeri e Wairimũ. Eles juraram nunca retornar a Mũrang'a ou divulgar suas exatas origens à sua progênie a fim de não instigar seus descendentes a regressar e reivindicar os direitos de terra da família e acabar tendo o mesmo destino. Os dois garotos mantiveram a promessa feita a mãe: fugiram de Mũrang'a.

A misteriosa doença que aniquilou meus avós e forçou meu pai a fugir apenas fez sentido quando anos depois li histórias sobre calamidades comunais no Velho Testamento. Então eu pensava no meu pai e em seu irmão como parte de um êxodo de uma praga de proporções bíblicas, em busca de uma terra prometida. Mas quando li sobre mercadores árabes de escravos, exploradores missionários e até mesmo caçadores de animais grandes — o jovem Churchill em 1907 e Theodore Roosevelt em 1909 e uma longa linha de outros em seguida —, reimaginei meu pai e meu tio como dois aventureiros armados com arco e flecha cruzando os mesmos caminhos, esquivando-se desses caçadores, lutando com leões pilhadores, escapando por pouco de cobras coleantes, abrindo caminho a foice na mata selvagem de uma floresta primeva sobre vales e serras, até subitamente topar com uma planície. Lá eles se quedam em reverência e temor. Diante de seus olhos há edifícios de pedra de alturas variadas, caminhos apinhados de carroças de diferentes formatos e pessoas de várias cores, de preto a branco. Algumas das pessoas brancas sentam-se em carroças puxadas e empurradas por homens negros. Estas devem ser os espíritos brancos, os *mizungu*, e a planície, a Nairóbi da qual ouviram dizer que havia brotado das entranhas da terra. Mas nada os havia preparado para as linhas ferroviárias e o monstro aterrorizante que vomitava fogo e ocasionalmente emitia um grito de gelar o sangue.

Nairóbi foi criada por aquele monstro. Inicialmente um centro de montagem dos desmesurados materiais para a construção ferroviária e para os vastos serviços de apoio, Nairóbi prorrompeu, rápida como os cogumelos, numa cidade de milhares de africanos, milhares de asiáticos e um punhado de europeus rabugentos, que a dominavam. Em 1907, quando Winston Churchill, então subsecretário parlamentar de Estado de Henry Campbell-Bannerman para as colônias, visitou a Nairóbi de nove anos de idade, escreveu que todo homem branco na capital era "um político e a maior parte deles são líderes de partidos políticos", e expressou incredulidade por "um centro tão novo ser capaz de produzir tantos interesses divergentes e conflitantes, ou por uma comunidade tão pequena ser capaz de dar a cada um deles uma expressão tão vigorosa e até veemente".*

As grandes casas nas planícies afetaram os dois irmãos de forma diferente. Após ficar com a titia em Uthiru, meu tio saiu da balbúrdia da cidade para perseguir sua fortuna nas regiões mais rurais de Ndeiya e Limuru, tendo por amparo a família Karaũ. Mas meu pai, fascinado e intrigado pelo centro urbano com seus habitantes brancos e negros, permaneceu. Por fim conseguiu um trabalho como empregado doméstico numa casa europeia. Mais uma vez, poucos eram os detalhes existentes sobre essa fase de sua vida numa casa de brancos, exceto pela história de como ele escapou da convocação à Primeira Guerra Mundial.

Desde a ocasião da Conferência de Berlim de 1885, que dividira a África em esferas de influência entre os poderes europeus, os

---

* Winston S. Churchill, *My African Journey* (Leo Cooper, 1968), p. 18. (N. A.)

alemães e os britânicos foram rivais na colonização dos territórios da África Oriental, conforme exemplificado por dois aventureiros: Karl Peters, fundador da Companhia Alemã da África Oriental em 1885; e Frederick Lugard, da Companhia Imperial Britânica da África Oriental, incorporada em 1888 por Sir William Mackinnon. Os territórios que essas companhias privadas trincharam para si com o "relutante" endosso de seus respectivos líderes, Bismarck e Gladstone, foram mais tarde nacionalizados, o que quer dizer: colonizados. E quando a mãe-pátria tossia, o bebê-colonial contraía a gripe generalizada. Portanto, quando em Sarajevo, em 28 de junho de 1914, um estudante sérvio, Gavrilo Princip, assassinou Francisco Ferdinando, herdeiro do Império Austro-Húngaro, assim encetando uma guerra europeia entre os impérios rivais emergentes, os dois Estados coloniais, Tanganyika e Quênia, lutaram do lado de suas mães, e por conseguinte, um contra o outro; as forças alemãs, lideradas pelo general Von Lettow-Vorbeck, foram incitadas contra as britânicas, lideradas pelo general Jan Smuts. Mas não eram apenas os colonos europeus lutando uns contra os outros — afinal de contas, eles perfaziam menos que um por cento da população. Convocaram muitos africanos como soldados e membros do Corpo de Carregadores. Os soldados africanos morreram em combate e de doenças e outros males, fora de proporção em relação aos soldados europeus. Sua participação seria totalmente esquecida exceto pelo fato de que os locais onde se assentaram, em Nairóbi e Dar es Salaam, levariam o nome de Kariokoo, uma tradução suaíli para Carrier Corps. Uma vez que os africanos estavam sendo forçados a uma guerra de cujas origens e causas os nativos nada sabiam, muitos como meu pai fizeram o possível para evitar a convocação. Toda vez que sabia que estava sendo levado a um exame médico, mastigava folhas de determinada planta que aumentava a temperatura a um nível alarmante. Mas há outras versões da história que sugerem a conivência de seu empregador branco, que não queria perder os serviços domésticos de meu pai.

A partir desse evento histórico e do grupo etário de meu pai, Nyarῑgῑ, pude calcular que ele nascera nalgum momento entre 1890 e 1896, os anos em que a rainha Vitória, mediante seu primeiro-ministro Robert Cecil, terceiro Marquês de Salisbury, tomou o que era então "propriedade" de uma companhia e chamou-a de Protetorado da África Oriental, e, em 1920, de colônia e protetorado do Quênia. Prova imediata da efetiva posse britânica foi a criação da ferrovia de Uganda a partir de Kilindini, Mombasa — a rodovia do monstro que meu pai viu cuspindo fogo até mesmo enquanto rugia.

A Nairóbi onde meu pai agora trabalhava era fruto daquela mudança de propriedade formal e da conclusão da linha ferroviária, que facilitou o tráfego de colonos brancos até o interior a partir de 1902. Após a Primeira Guerra Mundial, que terminou com o Tratado de Versalhes em junho de 1919, ex-soldados brancos foram recompensados com terras africanas, sendo algumas delas pertencentes a soldados africanos sobreviventes, acelerando expropriações, trabalho forçado e arrendamentos sem contrato formal em terras agora detidas por colonos, sendo tais inquilinos conhecidos como posseiros. Em troca do uso da terra, os posseiros forneciam trabalho barato e vendiam suas colheitas ao senhorio branco a um preço determinado por este. O reforçado domínio dos colonos brancos encontrou resistência dos africanos, sendo o mais significativo movimento na época a East African Association, fundada em 1921, a primeira organização política africana de âmbito nacional, e liderada por Harry Thuku, que captou a imaginação de todos os trabalhadores africanos, incluindo meu pai. Nele, uma classe trabalhadora africana, a nova força social em voga na história queniana, e da qual agora meu pai fazia parte, encontrou sua voz. Thuku firmara conexões com o nacionalismo negro internacional de Marcus Garvey no Oeste e com o nacionalismo indiano de Gandhi no Leste, este último através de sua aliança com Manilal A. Desai, um líder dos indianos locais. Suas atividades eram monitoradas de perto pela polícia secreta colonial e discutidas no escritório colonial londrino como uma ameaça ao poder branco. Tanto Gandhi quanto Thuku convocaram a desobediência civil quase ao mesmo tempo em seus respectivos países. Para suprimir esse vínculo queniano entre o nacionalismo à Gandhi e o nacionalismo negro à Garvey, os britânicos prenderam Thuku em março de 1922 e o deportaram para Kismayu, agora na Somália, onde ele definhou por sete anos. É provável que seja uma coincidência, mas não obstante uma coincidência interessante, a de que Gandhi foi preso em 10 de março, poucos dias após Thuku. Os trabalhadores reagiram à notícia da detenção de Thuku com um protesto em massa no lado de fora da Delegacia Central de Polícia de Nairóbi. Auxiliada por colonos que estavam tomando cerveja e aguardente nas varandas do Norfolk Hotel, a polícia matou a tiros cento e cinquenta manifestantes, incluindo uma das líderes mulheres, Nyanjirū Mūthoni. Não sei se meu pai esteve presente no protesto em massa e no massacre em massa, mas ele certamente seria afetado pela subsequente convocação de uma greve geral dos empregados domésticos, de cujo trabalho a aristocracia branca dependia inteiramente. Meu pai fugiu de Nairóbi de imediato, evitando a emergente agitação política da mesma maneira com que fugira da praga, com que escapara da convocação durante a Primeira Guerra Mundial. Ele acompanhou seu irmão à rural segurança de Limuru.

Mas Nairóbi havia deixado sua marca nele. Com seu empregador europeu, meu pai aprendera um punhado de palavras e frases inglesas — "seu maldito idiota", "preto" e "que bobagem" —, as quais ele adaptou ao Gĩkũyũ, como *mburaribuu, kaniga gaka* e *mbaga ĩno*, e as quais usava livremente para dirigir-se a quaisquer de seus filhos com quem estivesse irritado. De seu emprego ele poupara dinheiro bastante para comprar algumas cabras e vacas que em tempo procriaram mais cabras e vacas, e no momento em que fugiu da capital ele tinha já um rebanho razoável, do qual seu irmão ajudou a cuidar. Por fim meu pai comprou de Njamba Kĩbũkũ uma terra em Limuru.

Pagou em cabras, no tradicional sistema de acordo oral na presença de testemunhas. Mais tarde, Njamba vendeu a mesma terra a Lorde Stanley Kahahu, um dos primeiros cristãos convertidos e graduados na Igreja Missionária Escocesa em Kikuyu, e a seu irmão Edward Matumbĩ, que fizera fortuna em Molo com derrubada de árvores, serragem de madeira e fabrico de telhas para clientes europeus. A revenda foi registrada conforme o sistema legal da colônia, com testemunhas e documentos assinados. Saberia o religioso Kahahu que Njamba estava vendendo a terra duas vezes, a primeira em cabras ao meu pai e a segunda em dinheiro para ele? Fosse qual fosse seu entendimento, a transação dupla criou uma duradoura tensão entre os dois requerentes, meu pai e Kahahu.

A audiência para determinar o verdadeiro proprietário, uma questão intermitente, no Tribunal Nativo, em Cura, arrastou-se por muitos anos, mas em cada audiência tratava-se de um caso de palavra escrita legalmente contra testemunho oral. A oralidade e a tradição perdiam para a literalidade e a modernidade. Uma escritura, não importasse como havia sido obtida, triunfava sobre escrituras orais. Kahahu surgiu como o proprietário legítimo; meu pai manteve direito não hereditário de ocupação perpétua do terreno onde ele construíra as cinco cabanas. O vitorioso imediatamente asseverou seus direitos ao negar a meu pai o acesso para pastar e cultivar no restante da terra.

Teria meu pai alguma vez refletido sobre a ironia de haver sido suplantado por um senhorio negro, fruto do centro missionário branco em Kikuyu, sob o mesmo sistema legal que criara as Terras Brancas fora das terras de propriedade dos africanos? Ele tinha coisas mais imediatas do que as ironias da História com que se preocupar: como alimentar os filhos e o vasto rebanho de cabras e vacas.

Meu avô materno, Ngũgĩ wa Gĩkonyo, ajudou meu pai. Deu-lhe direitos de pastagem e cultivo nas terras que possuía, terras que se estendiam até as lojas indianas, as lojas africanas, e além, do

SONHOS EM TEMPO DE GUERRA   25

lado africano dos trilhos. A nova *thingira* e o curral de gado de meu pai situavam-se entre a borda de uma floresta de eucalipto-azul e árvores de eucalipto que Vô Ngũgĩ tinha nas imediações do mercado africano.* As esposas e os filhos de meu pai permaneceram na antiga herdade.

Portanto, apesar do abalo jurídico e suas consequências, a reputação de meu pai como o homem mais rico em vacas e cabras se manteve, bem como sua reputação por ter um lar disciplinado e olho para belas mulheres, remontando a quando ele ganhara sua primeira noiva.

---

* A floresta não existe mais. É agora o local do distrito de Limuru expandido, depois de as lojas indianas originais terem sido movidas do antigo terreno. (N. A.)

4

A aparência e os atributos de Wangarĩ eram a conversa de todas as colinas e vales, entre Limuru e Riũki. Na verdade as duas regiões eram próximas uma da outra, mas naqueles dias quando não havia transportes elas pareciam distantes de muitos quilômetros. O Tio Njinjũ, irmão de meu pai, fora o primeiro a ficar encantado com sua aparência e prometeu consegui-la como sua segunda esposa. Não se sabe como Tio Njinjũ, ou Baba Mũkũrũ, como o chamávamos, ouviu falar dela pela primeira vez ou travou contato com ela ou com a família. Nem mesmo se sabe se ele de fato encontrou-se com ela. Muito provavelmente ele apenas pôs em movimento um daqueles galanteios que correm de família em família mediados por terceiros. Posses, em vacas e cabras, e um bom caráter eram mais persuasivos que a aparência, e, presumivelmente, os dois órfãos que haviam começado com nada mas conseguiram ascender para equiparar-se com os feitos dos jovens homens de sua idade, em riqueza de cabras, demonstraram não contar com sua aparência, mas sim com suas mãos e mentes.

Desde sua fuga de Mũrang'a, meu pai e Baba Mũkũrũ percorreram caminhos ligeiramente diferentes e desenvolveram diferentes atitudes ante a vida. Meu pai assumiu ares urbanos nas vestimentas e nos pontos de vista; por exemplo, ele tinha uma atitude desdenhosa ante ritos e práticas tradicionais. Meu tio, por sua vez, fizera sua trajetória através do cultivo e do pastoreio rural, observando valores e ritos tradicionais, como aqueles desempenhados em seu casamento com a primeira esposa. Contudo, o fato de que Baba Mũkũrũ estivesse agora almejando uma segunda noiva, enquanto meu pai ainda se encontrava solteiro, era um indicador do sucesso de meu tio e validava a escolha que ele fizera de evitar a cidade em detrimento do campo.

Acompanhado de meu pai, Baba Mũkũrũ reuniu uma delegação que incluía porta-vozes que não eram da família, pois nunca se falava em seu próprio proveito em tais assuntos, e foram ter com o pai de Wangarĩ, Ikĩgu. Tudo corria bem, as bebidas, os preâmbulos formais, até que a noiva foi chamada para conhecer o pretendente. Eles deveriam tê-la preparado melhor, porque ao entrar, os olhos dela pousaram no mais novo dos dois homens, meu pai. Depois, retificações acerca do verdadeiro pretendente chegaram aos ouvidos moucos de uma jovem mulher a quem se pedia que escolhesse entre ser a segunda esposa de um homem mais velho ou a primeira esposa de outro, que transpirava jovialidade e modernidade.

Quando regressaram a casa, o destino dos dois irmãos havia mudado; Wangarĩ se apaixonara pelo jovem urbano, meu pai, e por fim tornou-se sua primeira esposa. A relação fraterna, ainda que não tenha sido rompida, tornou-se tensa, e assim permaneceu por toda a vida. O amor se intrometera entre os dois homens que em sua juventude haviam dependido um do outro em sua busca de uma nova vida longe de casa.

Não sei como meu pai mais tarde obteve sua segunda esposa, Gacoki. Boatos sugeriam que sua primeira esposa, Wangarĩ, necessitando de mãos sobressalentes na manutenção de sua crescente riqueza de vacas e cabras, ajudara a atrair Gacoki a casa. Mais provavelmente, notícias da poesia do coração e do ritmo do trabalho entre Wangarĩ e meu pai podem ter seduzido Gacoki, a bela filha de Gĩthieya, muito antes de meu pai ter proposto casamento.

A experiência de minha própria mãe, a terceira esposa, fornece algumas evidências das práticas de galanteio de meu pai.

Minha mãe, Wanjikū, era de poucas palavras. Mas essas palavras transmitiam a autoridade do silêncio que lhes precedia o pronunciamento. De vez em quando, palavras jorravam de sua boca, abrindo uma pequena janela para dentro de sua alma. Uma vez lhe perguntei, durante um desses seus momentos de bem-estar que sucediam a uma boa refeição fumegante: Por que você consentiu com a poligamia? Por que aceitou ser a terceira esposa de meu pai, que já tinha filhos mais velhos — Wangeci e Tumbo com Wangarī, e Gītundu com Gacoki?

Por causa de suas duas primeiras mulheres, Wangarī e Gacoki, e seus filhos, disse ela, com luz e sombras da fogueira brincando-lhe na face. Eles estavam sempre juntos, em tamanha harmonia, que eu com frequência me perguntava como é que seria estar na companhia deles. E seu pai? Ele não era de se recusar. Não sei como é que ele sabia onde eu trabalhava nos campos do meu pai, digo, seu avô, mas de algum jeito aparecia, apenas sorria e dizia algumas palavras. Que pena seria uma beldade tão trabalhadeira se unir com um homem preguiçoso!, ele provocava. Não eram palavras reles vindas de um homem que possuía tantas cabras e vacas, e ele tinha adquirido toda aquela riqueza com sua própria labuta. Mas não queria que ele pensasse que eu fosse cair nas suas palavras e reputação, e eu o desafiei. Como posso ter certeza de que você não é um desses que matam a mulher de trabalhar e depois alegam que a riqueza veio unicamente das próprias mãos? No dia seguinte ele voltou, com uma enxada no ombro. Como que para provar que não se incluía entre os preguiçosos, sem nem mesmo esperar meu convite, ele começou a trabalhar. Isso se tornou uma competição divertida, mas séria, para ver quem se cansaria primeiro. Aguentei firme, disse ela com um quê de orgulho de sua proeza. Minha única pausa foi quando acendi o fogo e assei algumas batatas.

Você não acha que deveríamos unir nossas forças num lar?, perguntou ele de novo. Eu disse: Só por causa de um dia de trabalho num campo já improdutivo? Num outro dia, ele me encontrou tentando desobstruir uma mata para expandir minha fazenda. Ele se juntou na desobstrução e ao fim do dia estávamos os dois exaustos, mas nenhum de nós queria admitir. Ele foi embora e eu pensei que ele nunca mais apareceria. Mas ele voltou, num outro dia, sem uma enxada, com um sorriso enigmático no rosto. Oh, sim, que belo dia fazia! A colheita estava em flor, o campo inteiro estava coberto de flores de ervilha de diferentes cores. Sempre me lembro das borboletas, inúmeras; e eu não tinha medo das abelhas que competiam com as borboletas. Ele mostrou um colar de contas e disse: Você usaria isso para mim? Bem, eu não disse sim nem não, mas o peguei e usei, disse ela com um suspiro audível.

Minha mãe não responderia as perguntas seguintes, mas o que havia contado era suficiente para me dizer como ela se tornara a terceira das esposas de meu pai, mas não o suficiente para me dizer como viera a perder seu lugar, como a mais nova e a última delas, para Njeri, a quarta esposa, ou até mesmo como se sentiu em relação à nova adição à família.

5

Nasci numa comunidade já em funcionamento composta de esposas, irmãos crescidos, irmãs, crianças da minha idade e um único patriarca, e em convenções já estabelecidas acerca de como reconhecíamos nossa relação um com o outro. Mas podia ser confuso, e eu tive que crescer nesse sistema. As próprias mulheres nunca se referiam às outras pelos nomes; entre elas, eram sempre as filhas de seus respectivos pais: Mwarĩ wa Ikĩgu, no caso de Wangarĩ; Mwarĩ wa Gĩthieya, no de Gacoki; Mwarĩ wa Ngũgĩ, no de Wanjikũ; e Mwarĩ wa Kabicũria, no de Njeri, a mais nova. Vim a aprender que, ao falar delas a um terceiro, a primeira esposa, Wangarĩ, era minha mãe mais velha, *maitũ mũkũrũ*, e as outras duas eram, cada uma, minha mãe mais jovem, *maitũ mũnyinyi*. O termo *maitũ*, sem qualificação, era reservado à minha mãe biológica. Contudo, sempre dizia: Sim, Mãe, ou: Obrigado, Mãe, quando me dirigia a cada mulher diretamente. Mas também se podia distingui-las referindo-se a elas como mãe de um dos seus filhos biológicos. Meus meios-irmãos podiam chamar a minha mãe de "a mãe de Ngũgĩ" quando falavam dela a uma terceira pessoa.

Era um pouco mais complicado quando se falava de vários irmãos a um estranho. Nosso nome era informado por um simbólico sistema de reencarnação que significava que cada mãe tivera filhos alternadamente nomeados em homenagem a seu lado da família e ao lado do meu pai, e assim muitas das crianças tinham nomes idênticos àqueles que vinham da linhagem de meu pai. Havia a ampla categoria de irmãos e irmãs da mesma mãe e meias-irmãs e meios-irmãos quando se os apresentava a uma terceira pessoa. Contudo, éramos diferenciados uns dos outros por nossa mãe biológica; por exemplo, eu era sempre Ngũgĩ wa Wanjikũ. Além disso, muitas de minhas irmãs e irmãos tinham apelidos que haviam dado para si mesmos ou ganhado de outrem, e estes eram individuais. Havia Gacungwa, "Laranjinha"; Gatunda, "Frutinha"; Kahabu, "Meio Centavo"; Kĩbirũri, "o Jogador de Pião"; Wabia, "Rupia"; Mbecai, "Dinheiro"; Ngiree, "Cinza"; Gũthera, "Senhorita Limpeza"; Tumbo, "Barrigão". Cresci conhecendo-os por esses apelidos, e foi um choque quando depois aprendi seus verdadeiros nomes, que pareciam menos reais. Vim a aceitar que dentro do quadro da família Thiong'o havia múltiplas maneiras de se identificar ou ser identificado por outrem.

As quatro mulheres firmaram uma forte aliança perante o mundo externo, o marido e até mesmo os filhos. Qualquer uma delas podia repreender e disciplinar qualquer um de nós, crianças, ficando o culpado suscetível de receber castigo adicional caso ela se queixasse à mãe biológica. Podíamos nos alimentar com qualquer uma das mães. Elas resolviam graves tensões através de discussões, uma delas, geralmente a mais velha, atuando como árbitro. Havia também alianças sutis e cambiantes entre elas, mas estas eram mantidas sob controle em nome da solidariedade geral que tinham como noivas de meu pai. Elas tinham sua própria individualidade. Njeri, a mais nova, tinha uma compleição bojuda e uma língua afiada, irreverente. Não tolerava disparates de ninguém. Era conhecida por falar em nome de qualquer uma das outras mulheres contra um estranho até mesmo se se tratasse de um homem. Podia desafiar meu pai abertamente, mas também sabia quando e por que recuar. Era a tácita ministra da Defesa da herdade. Minha mãe era uma pensadora e boa ouvinte, amada por sua generosidade e respeitada por sua lendária capacidade para o trabalho. Embora ela não confrontasse meu pai abertamente, era teimosa e deixava que suas ações falassem por ela. Era como a ministra do Trabalho. Gacoki, tímida e afável, detestava conflitos, adotando uma atitude de viva-e-deixe-viver mesmo quando era a parte injustiçada. Ela, a ministra da Paz, era a mais temente a meu pai. Wangarĩ, a mais velha, estava sempre calma, como se já tivesse visto de tudo. O poder dela sobre meu pai operava através de um olhar, uma palavra ou um gesto de desaprovação, como se o relembrasse de que ela o escolhera em lugar de seu irmão. Ela era a ministra da Cultura, uma filósofa que contava com sua experiência e citava provérbios para expor seus argumentos.

Era uma grande contadora de histórias. Toda noite nós, as crianças, nos reuníamos ao redor da fogueira em sua cabana, e a apresentação começava. Às vezes, especialmente nos fins de semana, os irmãos mais velhos traziam seus amigos e tornava-se então uma sessão de narração para todos. Um contava uma história. Quando acabava, outra pessoa da plateia dizia algo como: "Isso me lembra que..." ou outras palavras assim, um sinal de que ele ou ela iria contar uma história, mesmo que, como se revelava na maior parte dos casos, a nova história nada tivesse a ver com aquela que aparentemente a provocara. Mas o comentário nem sempre significava outra história. Podia também incitar a narração de um episódio ilustrando a veracidade de um aspecto da história. Às vezes tais opiniões e ilustrações geravam debates acalorados que não tinham um vencedor evidente, e com frequência afluíam em ainda mais histórias. Ou às vezes levavam a histórias sobre eventos na terra e no mundo. Como quando falaram sobre grupos etários e sobre como os tempos mudam, citando o caso de Harry Thuku, cujo ardor político dos anos 1920 havia se tornado cinzas frias subsequentemente à sua libertação em 1929, após sete anos de exílio. A sociedade de três letras (Kĩama kĩa Ndemwa Ithatũ), como era chamada a Kikuyu Central Association (KCA), sucessora da East African Association de Harry Thuku,

SONHOS EM TEMPO DE GUERRA 33

depois de também ter sido interditada pelo Estado colonial em 1941, estava muito furiosa com esse novo Thuku, que falava em persuasão e em apagar incêndios, em vez de fazer exigências endossadas por ameaças de incêndio. As discussões quanto aos méritos e deméritos das duas abordagens estavam além do meu discernimento e eram um bocado entediantes, mas as anedotas históricas eram boas porque, para mim, elas ainda eram parte do universo oral da narração de histórias. Algumas delas soavam mais estranhas que a ficção: como o caso de um homem branco chamado Hitler que se recusou a cumprimentar o atleta mais rápido do mundo em 1936 porque o homem, Jesse Owens, era negro.

Eu ansiava pela chegada dessas noites; parecia-me um glorioso alumbramento que histórias tão bonitas e às vezes assustadoras pudessem sair daquelas bocas. Para mim o melhor eram aquelas histórias nas quais a plateia se juntava para cantar o coro. A melodia era invariavelmente cativante; eu sentia como se fosse transportado a outro mundo de infinita harmonia, até mesmo na tristeza. Isso intensificava minha expectativa do que iria acontecer em seguida. Eu odiava quando alguns membros interrompiam o narrador para contestar a exatidão de uma sequência. Por que não esperar sua vez? Ficava ansioso para ouvir o que acontecia em seguida mesmo quando eu já conhecia a história.

Às vezes as sessões se transferiam para as cabanas das outras mulheres, mas o ar festivo não era tão intenso. Gacoki e Njeri não eram boas contadoras de histórias, e dificilmente contribuíam. Minha mãe também não era boa nisso, mas quando pressionada, voltava a recorrer a uma das duas histórias que sempre contava. Uma era sobre um ferreiro que vai a uma forja muito distante e abandona sua esposa grávida. Um ogro a ajuda no parto, mas quando se trata de cuidar deles, ele devora toda a comida e toma todo o mingau de aveia destinado à mãe. Em troca de sementes de mamona, um pombo entrega uma mensagem ao ferreiro, que retorna e mata o ogro e reconcilia-se alegremente com sua mulher e a família. A outra era um conto simples, quase sem enredo, sobre um homem com uma ferida incurável que não desiste mas sim embarca na busca de uma cura. Ele não conhece a morada do famoso feiticeiro; conhece-o apenas pelo nome de Ndiro. Ao indagar de estranhos no caminho, descreve o feiticeiro em termos de seu porte, seus passos de dança e os guizos rítmicos ao redor de seus tornozelos, que soam seu nome, Ndiro. Essa história era popular entre nós, crianças. Conseguíamos visualizar o feiticeiro e juntávamo-nos ao coro, às vezes pisando no chão e chamando "Ndiro" em uníssono. Uma de minhas meias-irmãs gostava tanto do conto que o adotava sempre que chegava sua vez de contar uma história.

Durante o dia, tentávamos recontar entre nós as histórias que ouvíramos, mas elas não saíam tão poderosas como quando contadas ao redor da fogueira, o espaço todo atravancado com ávidos ouvintes participantes. A luz diurna, nossas mães sempre nos diziam, levava as histórias embora, e parecia ser verdade.

Havia uma única exceção que desafiava as regras de dia e noite. Wabia era a quinta criança, ou a segunda filha, das sete crianças de Wangarī, quatro das quais apresentavam problemas físicos de um ou outro tipo, o mais grave sendo os dos dois irmãos: Gītogo e Wabia. Gītogo havia perdido a capacidade da fala no mesmo dia em que sua irmã Wabia perdera a capacidade da visão e da locomoção. Os dois nasceram com visão e audição, mas um dia, quando Wabia carregava seu irmão bebê Gītogo nas costas, fez-se um relâmpago. Wabia queixou-se de que alguém havia apagado o sol; e Gītogo, por meio de gestos, de que a mesma pessoa havia cessado todo som. Mais tarde, ele aprendeu a falar com sinais, acompanhados por indecifráveis sons guturais. Gītogo, bonito e de compleição forte, não tinha outros problemas físicos. Mas Wabia perdera toda força nas juntas das pernas. Conseguia ficar de pé ou dar passos apenas com a ajuda de duas muletas.

Ela sempre se sentava ou deitava no pátio, debaixo do teto da cabana de sua mãe. Às vezes dava alguns passos e então se deitava ao sol. Mas curiosamente sua voz e sua memória passaram a ser mais poderosas. Quando cantava, o que fazia com frequência, sua voz podia ser ouvida de muito longe. Ela nunca fora à igreja, mas de escutar aqueles que haviam ido, ela se lembrava do que ouvira cantado por outrem; com o tempo ela tornou-se um estoque de letras e melodias cantadas em diferentes igrejas. Mas ela também conhecia muitas outras canções, particularmente aquelas das histórias que ouvira na fogueira de sua mãe. Para ela, a história não ia embora durante o dia, e nós, as crianças, nos tornamos os agradecidos beneficiários de seus poderes de retenção. À noite Wabia nunca contribuía com a narração de histórias, apenas ouvia, mas no dia seguinte conseguia recontar as mesmas histórias com um poder imaginativo que as tornava ainda mais interessantes e prazerosas do que em sua primeira reprodução. Através da sua modulação de voz, ela lhes recriava a poesia e o drama. Ela possuía as histórias. É claro que tínhamos que ser bons com ela, amar-nos uns aos outros e obedecer a nossos pais para que ela liberasse a história durante o dia. Se brigássemos entre nós ou desobedecêssemos nossas mães, Wabia alegava que a história havia ido embora de tristeza. Tínhamos que aliciá-la e lhe prometer que nos comportaríamos bem. Algumas das crianças lhe pediam histórias e, quando ela recusava, apanhavam-lhe as muletas, como vingança. Mas ela nunca cedia aos seus pedidos. Eu fui um dos mais obedientes, ao menos a ela, e lhe levava água ou lhe devolvia as muletas. Ela também gostava do fato de eu ser um dos mais persistentes solicitantes de suas representações. Mais do que sua mãe ou outros narradores, Wabia detinha um poder imaginativo que me conduzia a mundos desconhecidos, mundos que mais tarde eu seria capaz de vislumbrar apenas ao ler ficção. Sempre que penso naquela fase de minha infância, é nos termos das histórias na cabana de Wangarĩ à noite e do renascimento delas na voz de sua filha durante o dia.

Embora eu não soubesse na época, seriam dois outros filhos de Wangarĩ que iriam me conectar a uma história que se desdobrava no Estado colonial e no mundo. Primeiro foi o homem mais velho na casa de meu pai, Tumbo, um estranho apelido, já que ele não tinha nenhum barrigão aparente. Ele também não tinha nenhum trabalho aparente, mas se cochichava que ele era um *gĩcerũ*. Havia pessoas que respondiam ao nome Gĩcerũ, mas isso podia se referir ao fato de que tinham pele clara. Para estes era meramente um nome, e não um trabalho. Como poderia alguém ter uma profissão chamada "branco"? Foi somente mais tarde, quando aprendi que a palavra, conforme utilizada, derivava do termo suaíli *kacheru*, que significa "informante", que soube que ele trabalhava como agente encoberto, de baixo escalão, na inteligência da polícia.

O terceiro filho de Wangarĩ, Joseph Kabae, era também um mistério, emergindo em minha mente como uma imagem em meio à bruma. Não o tendo conhecido pessoalmente, seu contorno foi formado apenas mediante palpites e estranhos fragmentos. Quando criança, pastoreando o rebanho de nosso pai, ele entrara numa briga com um garoto maior, um valentão que sempre o procurava quando ele ordenhava as vacas de meu pai. O valentão bebia um pouco de leite à força e Kabae ficava em apuros. Um dia, em fúria e autodefesa, Kabae golpeou fatalmente o garoto com uma faca. Foi detido, mas, sendo menor de idade, acabou na Wamũnyũ, uma escola reformatória, onde ganhou alguma educação formal. Depois disso — não sei se como voluntário ou se forçado —, foi lutar pelo rei George VI, na Segunda Guerra Mundial, como membro do King's African Rifles.

O KAR, como era conhecido, foi formado em 1902, como uma excrescência de duas unidades anteriores, a East African Rifles e o Central African Regiment, a cria do capitão Lugard. Este ficou famoso como autor do Governo Indireto Britânico, a estratégia de utilizar os nativos de uma região para lutar com os nativos de outra, e em cada comunidade utilizar os chefes, fossem tradicionais ou inventados, para suprimir o próprio povo em nome da Coroa Britânica. O regimento havia anteriormente representado um grande papel na caça ao esquivo alemão Von Lettow-Vorbeck na Primeira Guerra Mundial e contra o rei Ashanti, o Asantahene, nas guerras Ashanti. Os homens do regimento cantavam sobre si mesmos como homens do rei marchando sob suas ordens.

> *Twafunga safari*
> *Twafunga safari*
> *Amri ya nani?*
> *Ya Bwana,*
> *Tufunge safari.*

> *Marchamos adiante*
> *Marchamos adiante*
> *Sob as ordens de quem?*
> *As ordens do rei,*
> *Marchemos adiante.*

Kabae não foi o único de nossa família expandida a lutar na Segunda Guerra Mundial. O primo Mwangi, filho mais velho de Baba Mũkũrũ, também se juntou. Nomes de pessoas estranhas — Mussolini, Hitler, Franco, Stálin, Churchill e Roosevelt — e de lugares — Estados Unidos, Alemanha, Itália e Rússia, Japão, Madagascar e Burma — ocasionalmente surgiam nas sessões de narração de histórias na fogueira de Wangarĩ. Tais nomes e lugares tinham contornos vagos, e, assim como aqueles que cercavam Harry Thuku anteriormente, eram de fato sombras na bruma. Seria este Hitler, por exemplo, o mesmo que se recusara a apertar as mãos de Jesse Owens? Eu conseguia entendê-los apenas em termos de ogros assustadores versus heróis na terra de faz de conta da oralidade. Hitler e Mussolini, que ameaçaram escravizar africanos, eram os ogros maus e feios, estando próxima a prova de seu maléfico intento. Mesmo antes de eu nascer, Benito Mussolini entrara na Etiópia em 1936 e forçara o imperador africano Haile Selassie ao exílio, agravando o que já era ruim ao criar a África Oriental Italiana a partir da Etiópia e dos territórios vizinhos. Hoje, nós; amanhã, vocês, disse Haile Selassie à Liga das Nações, que observara a invasão da Etiópia, um Estado-membro, em silêncio. As pessoas falavam sobre esses episódios como se fossem parte de sua vida cotidiana. Como esses jovens homens e mulheres, alguns deles simples trabalhadores da fábrica de calçados Bata de Limuru sabiam de tais histórias e dos movimentos de tempos passados e lugares muito distantes? Os jovens dançarinos que cantavam sobre o perverso Hitler marchando até o Quênia para pôr jugos em volta do pescoço do povo africano reforçaram a imagem de uma fera horrenda à solta no mundo. Mas instigados contra essa fera e seus intentos mortais havia corajosos personagens, parte do exército britânico de salvadores, e entre eles estavam o Primo Mwangi e o Irmão Kabae. Ouvimos sobre suas façanhas na Abissínia na campanha contra a África Oriental Italiana de Mussolini, e um punhado de novos nomes e lugares, tais como Addis Abeba, Eritreia, Mogadíscio, Somalilândia italiana e britânica, entraram nas conversas. É claro que as complexidades da guerra me frustravam. Fragmentos e pedaços de histórias amalgamavam-se em cochichos acerca da rendição dos soldados de Mussolini. Para mim, era bastante simples. Heróis haviam derrotado ogros, ao menos aqueles que marchavam em nossa direção, e nosso irmão e nosso primo haviam tido uma participação na vitória. Em minha cabeça, Joseph Kabae, a quem eu não conhecera, era o mais heroico, e os soldados de Mussolini haviam de fato se rendido a ele. Ele e eu nos ligávamos pelo sangue, pelo sangue de nosso pai, mas Kabae ainda era um personagem de um remoto país de contos de fada.

Mas evidências da guerra não eram encontradas apenas nas histórias; estavam por todo o nosso redor. Fazendeiros camponeses somente podiam vender seus alimentos através das cooperativas governamentais. A circulação de alimentos entre regiões não era permitida sem uma licença, o que criava penúrias e fome em algumas áreas. Embora à época eu não soubesse as razões, esse sistema de produção e distribuição de alimentos era na verdade a contribuição da colônia à economia de guerra britânica. Em Limuru, a proibição gerou um famoso contrabandista, Karugo, que dirigia sua caminhonete tão rapidamente que ele com frequência frustrava a polícia em sua perseguição. Ele foi enfim detido e preso, mas se tornou uma lenda no imaginário popular, dando origem à expressão "o velocímetro de Karugo". *Tura na cia Karugo* significava "acelere" ou "não se preocupe com o limite de velocidade".

Havia também evidências visuais nos soldados que passavam por Limuru, os quais às vezes ficavam presos nos trajetos de terra do interior que se passavam por estradas. Para tornar os trajetos mais transitáveis, o governo transformou-os em estradas maiores feitas de laterita. Ao escavar a laterita, as obras do governo deixaram uma profunda pedreira retangular do tamanho de um campo de futebol perto dos pântanos de Manguo ao redor do recanto de Kimunya, logo abaixo da propriedade de Kahahu. Com a melhoria, os soldados às vezes paravam e estacionavam seus veículos na beira da estrada e comiam seu almoço em qualquer espaço aberto nos arbustos da floresta circunjacente. Eles davam biscoitos e carne enlatada aos meninos pastores. Um dos meus meios-irmãos, Njinjũ wa Njeri, então o principal menino pastor ajudante do meu pai, com frequência trazia um pouco para casa, e falava sobre os militares, mas nunca mencionou ter visto nosso Joseph Kabae entre eles. Teria também Kabae, onde quer que estivesse, estacionado veículos na beira da estrada e comido biscoitos e dado um pouco aos meninos pastores?

Um dia, dois homens de um comboio de caminhões repletos de militares caíram da estrada para dentro da cavernosa pedreira de laterita. O restante do comboio parou e estacionou na beira da estrada.

Houve uma desordem de movimentos entre os socorristas e os socorridos. As notícias se espalharam rápido. Praticamente toda a aldeia estava lá para ver os feridos e os mortos sendo carregados. Os sons do luto eram terríveis, especialmente para nós, crianças. Porém, pior para a família Thiong'o foi o rumor que começou a circular dizendo que Kabae talvez pudesse fazer parte do comboio militar. Não havia a quem perguntar. Os relatos de que ele estava muito longe na Abissínia não aliviaram nossas preocupações. O silêncio do governo exacerbou nossos temores. Senti-me privado de um herói de guerra, um meio-irmão que agora de fato eu nunca chegaria a ver.

Mas certa noite ele veio para casa num caminhão do Exército, dois faróis rasgando a escuridão. Não havia de fato uma estrada até nossa herdade. O caminhão simplesmente fez duas trilhas ao transpor o pomar de Lorde Kahahu até nosso terreno. Infelizmente, estava chovendo. O caminhão ficou emperrado na lama, e quando o motorista tentou acelerar, o caminhão atingiu a cabana de minha mãe e afundou ainda mais na lama. Os homens do Exército em uniformes de combate verde-cáqui e bonés do Exército passaram boa parte de sua noite de visita tentando removê-lo, usando lanternas para conseguir enxergar. Aglomeramo-nos ao redor deles, e não pude nem mesmo distinguir quem era Kabae, a não ser quando ele, uma figura turva em meio a figuras turvas, deixou seus homens cavando e disse apressados cumprimentos à família. Ele voltava da Campanha da África Oriental, repousando e reabastecendo em Nairóbi, antes do reposicionamento a outros fronts em Madagascar ou até mesmo em Burma. Aparentemente ele e seus amigos haviam pegado o caminhão sem permissão, esperando ficar fora por apenas algumas horas, o bastante para que Kabae saciasse um pouco a sede de casa que ele devia ter sentido em seus anos distante. Era também uma oportunidade para ele e seus irmãos de armas que não eram Gĩkũyũ, os quais deviam se sentir ainda mais longe de casa, comerem uma refeição caseira em vez das rações de biscoitos e carne enlatada.

Kabae mencionou alguns dos países de origem deles — Uganda, Tanganyika e Niassalândia. O King's African Rifles tinha pessoas de toda a África, disse ele. Quando conseguiram remover o caminhão, puderam apenas comer apressadamente e ficaram aflitos para retornar ao acampamento em Nairóbi. Portanto não passamos muito tempo com ele, mas eu mal consegui dormir pensando no drama que havia se encerrado. Foi como se Kabae houvesse pulado para fora de uma história, dito um olá, um adeus, e depois pulado de volta dentro da história. Atingir a cabana de minha mãe e remover o caminhão à noite não fora exatamente o mais heroico regresso ao lar para alguém que estivera por todo o mundo combatendo ogros, mas na época o seu veículo motorizado fora o primeiro a vir em nossa herdade. Percebemos o quão crescido estava nosso irmão quando o senhorio não levantou nenhuma queixa acerca das trilhas que o caminhão havia feito através de sua terra ou acerca das árvores vergadas no pomar. A visita ficou eternamente gravada em minha mente, e conversas sobre a grande guerra agora traziam de volta lembranças de um caminhão militar preso na lama ao largo da cabana de minha mãe.

Não sei quanto tempo depois da visita de Kabae, mais acontecimentos mágicos ocorreram. Um homem branco veio a nossa herdade. Embora pessoas brancas detivessem as plantações de chá do outro lado da ferrovia, e eu até mesmo ouvira que na fábrica de calçados Bata de Limuru havia proprietários brancos, a coisa mais próxima de um homem branco que eu já havia visto de perto eram os lojistas indianos. Mas eis ali um homem branco de verdade, a pé, em nossa herdade, e nós corremos ao seu lado exclamando: *Mũthũngũ*, *mũthũngũ*. Ele disse algo como *bono* ou *buena* e então pediu ovos. Minha mãe deu-lhe alguns, aliás recusando seu dinheiro em troca, e ele proferiu algo como *grazie* e partiu dizendo *ciao*, o que mais uma vez assumimos como sendo outra palavra para "obrigado". Seguimos atrás dele, uma multidão de crianças, ainda exclamando *Mũthũngũ*. E então nos veio o choque.

Vimos homens brancos construindo uma estrada, homens brancos que não estavam supervisionando os negros mas na verdade quebrando pedras eles mesmos. Depois, mais desses trabalhadores vieram a nossa casa pedir ovos, *mayai*, soltando palavras como *buonasera*, *bungiorno*, *pronto*, *grazie*, mas a palavra mais frequente e comum a todos eles, aquela que se demorava em nossa mente, era *bono*. Demos a eles o apelido de Bono: vim a saber que eles eram prisioneiros de guerra italianos capturados entre maio e novembro de 1941, quando os italianos se renderam em Amba Alage e Gondar, dando fim à Campanha da África Oriental. Os prisioneiros eram mão de obra importada, incumbidos de construir a estrada de Nairóbi até o interior, paralela à linha ferroviária que fora primeiramente construída por mão de obra indiana importada. Os prisioneiros tornaram-se uma visão regular em nossa aldeia, e toda casa tinha uma história italiana para narrar.

A nossa dizia respeito a Wabia, irmã de Kabae, que não podia dar um passo, que dirá caminhar, sem auxílio de um par de muletas. Após muitos meses, pode até mesmo ter sido um ano, o primeiro visitante Bono retornou a nossa herdade. Dessa vez, após pegar seus ovos e uma galinha pela qual ele pagou, sua atenção voltou-se para Wabia, e, em seu suaíli hesitante, fez-lhe muitas perguntas. Não consigo recordar que palavras ele de fato proferiu, mas um dos meus meios-irmãos alegou que ele disse a Wabia que podia trazer-lhe alguns medicamentos que podiam curá-la. Eu adorava Wabia. Seria maravilhoso se ela pudesse recuperar a dádiva da visão e a capacidade de andar sem apoio. Aquilo significaria que os medicamentos dos povos brancos eram mais mágicos do que quer que pudéssemos imaginar, até mesmo do que nas histórias que Wabia tão bem nos contava.

Esperamos pelo italiano. Ele tornou-se o Ndiro branco em nossa imaginação, o feiticeiro da história que minha mãe contava, exceto que ele tinha um sotaque italiano e nós não procurávamos por sua morada; ele é que estava vindo em nossa direção, e estávamos simplesmente aguardando seu retorno. A estrada ia agora além de Limuru, e os Bonos não assombravam nossa área tal como regularmente costumavam fazer, mas nós não perdemos a esperança: o italiano certamente traria uma cura. Que prodígio seria para Kabae retornar da guerra e ser recebido em casa por uma irmã com suas capacidades de andar e ver restauradas!

As imagens da visita de Kabae, apesar de borradas pelo tempo e, agora, ultrapassadas por nossas novas expectativas, não queriam nos abandonar, e às vezes voltavam com o pleno peso de sua irrealidade sempre que o tópico da guerra reaparecia em conversas ou nas apresentações. A mais popular delas era a *mūthuū*, uma dança de garotos, de chamada-e-resposta, na qual, entre outros versos, o narrador-solista, que nunca havia saído da aldeia, vangloria-se de muitas façanhas heroicas, incluindo combater nas selvas de Burma e finalmente regressar ao lar tendo soltado bombas no Japão e derrotado Hitler e Hirohito. Esses feitos ficcionais eram motivos para que o heroico solista fosse temido e obedecido por seu coro. De fato, o vocalista-dançarino parecia feroz, conforme sacava de repente uma espada de madeira que amarrava na cintura, rodopiava-a nas mãos, depois lançava-a no ar, agarrando--a destramente enquanto tentava manter cadência com a dança. Burma, bombas, Hirohito, novas palavras eram acrescidas ao meu vocabulário de guerra sempre em crescimento. Mas nós ainda aguardávamos o italiano.

Houve um tempo em que eu não mais via o Bono Mayai caminhando ou pedindo coisas em nenhuma de nossas vilas. Eles não voltaram. Nosso Ndiro branco não retornou. Wabia, minha querida meia-irmã, nunca se curou. Mas os Bonos deixaram sua marca arquitetônica na igreja que ergueram perto da estrada na borda do Vale Rift em suas horas de descanso, e sua marca sociobiológica nas famílias desfeitas e nos bebês pardos, sem pais, nascidos nas várias aldeias que haviam visitado.

E então nosso meio-irmão finalmente retornou para casa. Estávamos em 1945; a guerra chegara ao fim, os soldados foram desmobilizados. Houve lágrimas e risos. O Primo Mwangi, primeiro filho de Baba Mũkũrũ, fora morto em ação; ninguém soube nos dizer onde, mas Palestina, Oriente Médio e até Burma foram mencionados alternadamente. Mas Kabae sobrevivera, uma lenda, importante para nós, ainda mais importante e mais educado do que os filhos do Lorde Reverendo Stanley Kahahu. Houve até cochichos sobre um namoro com uma das filhas do senhorio.

Kabae, o ex-soldado, tornou-se um mulherengo, um fumante inveterado, e dado a uma cerveja, a qual comprava em lojas de bebidas licenciadas de propriedade de indianos, mas bebia na rua, no relvado logo atrás de nosso quintal; ele era um dos poucos africanos que podia comprar garrafa após garrafa de cerveja feita pelas Cervejarias da África Oriental de propriedade de europeus. Mais tarde um dono de loja africano, Athabu Muturi, foi autorizado a vender a cerveja europeia no mercado de Limuru, e as bebedeiras se deslocaram para o quintal de sua loja.

Decepcionei-me por Kabae raramente vir para casa, e quando o fazia, praticamente nunca conversava a fundo e em pormenores elaborados sobre a grande guerra, pelo menos não quando eu estava presente. Ele nem mesmo falava sobre o Primo Mwangi, se eles haviam se encontrado ou não durante a guerra. Uma vez mencionou Madagascar, mas brevemente, como se tivesse feito apenas uma parada lá. De outra feita falou sobre os dançarinos *mũthuũ* e suas referências a Burma e ao Japão. "As selvas de Burma se comprovaram armadilhas mortais para nós da Divisão da África Oriental", disse ele.[*] "Chuvas de monção transformavam as estradas de terra

---

[*] Referência à 11ª Divisão da África Oriental, parte do 14º Exército sob o comando do general Bill Slim. As colinas ao longo do Vale Kabaw eram conhecidas como Vale da Morte. (N. A.)

em rios de lama. E os japoneses eram combatentes ferozes. Mas nós da África Oriental nos mostramos como combatentes da selva. Quanto ao bombardeamento de Hiroshima, bem, eu não estava lá. E isso não devia ser tema de danças. O mundo nunca vai saber o que e quanto nós africanos demos a essa guerra." Isso foi tudo, sua mais detalhada reflexão sobre a guerra. Eu teria gostado de ouvir sobre as batalhas que ele lutara; se conhecera Mussolini e Hitler cara a cara antes de sua rendição ou apertado a mão de Churchill e dos generais russos.

Numa das raras vezes que ele veio para casa, sua visita coincidiu com uma sessão de narração de histórias na casa de sua mãe. A guerra e seu desfecho tornavam-se coisas do passado. Naquela noite o tópico de discussão geral foram as linguagens e o hábito de falar das pessoas pelas costas. Foi então que Kabae intrometeu-se para refletir sobre os perigos da maledicência. Ele então contou esta história.

Uma vez, antes da desmobilização, ele trabalhou num escritório, próximo ao de uma mulher europeia. Seus amigos do Exército costumavam visitá-lo e eles conversavam em Gĩkũyũ sobre a mulher, perguntando-se como é que seria dormir com ela, mas às vezes provocavam-no dizendo que ele provavelmente já o havia feito. Ele escolhia não responder e os advertia contra tais conversas. No Quênia daqueles dias era ilegal um homem africano firmar namoro com uma mulher europeia. Mas também porque ele se sentia genuinamente desconfortável com conversas fiadas sobre uma pessoa que estava ali presente mas que, hipoteticamente, não podia acompanhar o que dela se dizia.

Um dia, quando se encontravam absortos em tais conversas, calhou de a mulher passar perto. Ela saudou-os num Gĩkũyũ perfeito, acrescentando que, em seu ponto de vista, toda mulher, negra ou branca, tinha a mesma anatomia. Os homens literalmente voaram para qualquer buraco que pudessem acessar facilmente, para nunca mais serem vistos perto do edifício. Obrigada, disse ela, voltando-se para Kabae.

Após a desmobilização, Kabae montou seus próprios serviços legais e de secretariado no centro de compras africano de Limuru. Era reputado como sendo um dos mais rápidos datilógrafos numa máquina Remington que havia; a rapidez e o volume daquele barulho áspero podiam ser ouvidos das ruas, atraindo a atenção. As pessoas alinhavam-se no lado de fora de seu escritório para pedir aconselhamento legal e fazê-lo escrever-lhes cartas em inglês. Seu escritório tornou-se um centro universal de informações em matéria de burocracia colonial. Isso engrandeceu a reputação de Kabae entre os mais eruditos da área. Para nós, da família Thiong'o, ele era de longe o que tivera melhor educação. Isso pode ter despertado meu desejo de aprender, o qual guardei para mim mesmo. Por que deveria exprimir desejos impossíveis de se realizar?

6

Quando criança, eu queria estar com minha mãe o tempo todo. Se ela ia a algum lugar sem mim, eu chorava por muitas horas. Isso me rendeu o apelido de Kĩrĩri, "Bebê Chorão", porque nenhuma canção de ninar ou admoestação de outrem me fazia parar. Eu chorava até adormecer, e de alguma forma, quando acordava, minha mãe estava por perto. Convenientemente esquecendo as poucas vezes que acordei e ela não estava lá, o que significava mais choro e mais sono e despertar, assumi que meu choro tinha algo a ver com o ressurgimento dela.

Uma vez, devo ter dormido por tanto tempo que, quando acordei, encontrei minha mãe segurando um bebê nas mãos. Lembro-me de ter tido meu choro desbancado pelo desse bebê, que não queria deixar os peitos ou as costas ou as mãos de minha querida mãe. Seus choros tinham mais força que os meus porque minha mãe parava tudo e o atendia. Meu choro terminava quando me diziam que minha mãe fora a algum lugar buscar o bebê de modo que eu pudesse ter um irmão mais novo para ser meu colega. Tínhamos um ano de diferença. Ele foi chamado de Njinjũ, em homenagem a Baba Mũkũrũ, e apesar da rivalidade entre irmãos, mais tarde nos tornaríamos inseparáveis, especialmente após eu tê-lo ensinado a andar, ou assim presumi, já que houve uma época em que ele me imitava em tudo. Meu choro realmente fora um chamado por um colega mais novo. Minha mãe, quase que por mágica, havia profetizado e acatado meu lacrimoso desejo. Essa crença em sua capacidade mágica de antecipar minhas necessidades foi depois reforçada por outras façanhas suas. Meus olhos costumavam me aborrecer quando criança. Minhas pálpebras inchavam, meus olhos supuravam. Eu chorava muito de dor. Minha mãe costumava me levar a um curandeiro tradicional, num local em Kamĩri, próximo ao único centro de água potável de Manguo. O curandeiro fazia pequenas incisões com uma lâmina nas sobrancelhas, de comprido, acima das pálpebras inchadas. Sangrava-as e então esfregava algum remédio nos cortes, e de alguma forma eu me sentia melhor. Mas esse bem-estar durava apenas umas poucas semanas. Eu ia e vinha do santuário do curandeiro. Semicerrava os olhos o mais que podia para ver, e as pessoas me provocavam e me chamavam de Gacici, o pequenino que mal consegue enxergar. Eu não gostava, porque apelidos, mesmo aqueles originados num hábito negativo passageiro, às vezes pegam. Eu fora bem-sucedido em superar "Bebê Chorão"; não queria vê-lo substituído por "Bebê Zarolho".

Lorde Reverendo Stanley Kahahu veio me acudir. Não sei se foi minha mãe quem o abordou ou foi o contrário. Mas um dia minha mãe me deu banho e me levou à estrada, logo depois dos portões da casa de Kahahu, onde o reverendo nos introduziu em seu carro, um velho Ford Modelo T. Eu nunca estivera dentro de nenhum veículo motorizado antes, e desejava que meus olhos não doessem para que pudesse desfrutar da corrida até o King George VI Hospital, em Nairóbi, anteriormente conhecido como Native Civil Hospital, mas agora chamado assim em homenagem ao rei em nome de quem meu meio-irmão Kabae havia ido para a guerra. Era a primeira vez de minha mãe e minha na cidade grande. Várias conferidas nos meus olhos depois, o doutor disse que eu tinha que ser internado. Não sei se isso era necessário devido à condição dos olhos ou ao fato de que não havia farmácia alguma, ou se determinado medicamento estava disponível apenas no hospital. Fui deixado sozinho numa cama de hospital ao lado de outros pacientes, a primeira vez que minha mãe me deixava com estranhos. Tudo, incluindo o cheiro, era diferente demais do ambiente de ar fresco de minha casa. Mas de alguma maneira consegui me adaptar. Os outros pacientes eram gentis. Os doutores eram gentis. A união das pessoas em momentos de pesar era comovente.

Minha mãe e o reverendo Kahahu vieram me ver uma vez. Então me deixaram com uma promessa de retornar em breve. Não sei quanto tempo permaneci no hospital, duas semanas, três semanas, ou um mês, mas pareceu um longo tempo, uma grande distância de casa. Quanto melhor eu me sentia, mais sentia falta de minha mãe e de minha casa. Por fim fui liberado mas não pude deixar os domínios do hospital. Não tinha para onde ir, e não sabia quando o Lorde Reverendo Kahahu e minha mãe viriam me buscar. Estava cansado do hospital mas não tinha meios de contatar minha mãe. Então fiz o que nós, as crianças, acreditávamos que estabeleceria contato com o espírito de uma pessoa querida ausente. Se sussurrássemos no bocal de um pote de argila o nome de uma pessoa querida, ele ou ela nos ouviriam. Não havia pote de argila por perto. Então apanhei o que quer que se parecesse com um pote, um jarro, e nele sussurrei o nome de minha mãe. Não pude acreditar quando logo depois, no dia seguinte, ou assim achei, minha mãe apareceu. Fiquei tão feliz em vê-la sem sentir dor em meus olhos! Mas por que ela não viera me ver? E por que estava sozinha? Ela explicou que o reverendo Kahahu estivera muito ocupado e assim postergava o dia de outra visita. Por fim ela não pôde suportar. Assumiu a questão com as próprias mãos, indagou às pessoas sobre como e onde pegar um ônibus até o King George, e veio me ver. Fiquei feliz de estar voltando para casa, mas triste por aqueles que eu abandonava.

Fomos até a parada de ônibus. O serviço de ônibus era muito precário e imprevisível naqueles tempos. Mas por fim um ônibus chegou e subimos e nos sentamos. Dessa vez eu conseguia olhar através da janela e ver as cenas de cada lado da estrada. Era incrível. Pareceu-me como se as árvores e a relva estivessem se movendo para trás conforme o ônibus se movia adiante. Quanto mais rápido corria em frente, mais rápido o panorama se movia para trás. Rodamos uma boa distância. Então o cobrador veio recolher a tarifa. Minha mãe lhe deu todo o dinheiro que tinha, dizendo que iríamos descer na última parada em Limuru. Ele nos olhou de forma estranha e então disse: Mãe, você está indo na direção errada, para Ngong, e não Limuru. Na parada seguinte, ele nos disse para descer e aguardar do outro lado da estrada o ônibus que voltava.

Felizmente, naquele momento, um ônibus vindo da direção oposta chegou. Ele o parou e conversou com o motorista e o cobrador. Deu à minha mãe o dinheiro que havia pego com ela. O novo cobrador no novo ônibus conduziu-nos por entre a cidade e por fim nos deixou numa parada, outra vez sem nos cobrar, e tomamos o próximo ônibus para Limuru e nossa casa.

Eu estava entusiasmado por ter estado na cidade grande. Nunca havia visto tantos edifícios de pedra juntos. Seriam estes os mesmos edifícios que meu pai vira quando jovem, ao fugir de Mũrang'a? Ou os mesmos que abrigaram meu meio-irmão Kabae, o homem do rei? Poderia algum desses edifícios ter sido o local de onde o caminhão que atingira nossa casa viera? Ou talvez houvesse Nairóbis totalmente diferentes. De fato, não importava: eu simplesmente estava contente de agora poder enxergar e não precisar passar por incisões de lâmina em minhas pálpebras ou ouvir as pessoas chamando-me de Gacici. Mas eu estava ainda mais maravilhado com o fato de minha mãe, que nunca estivera em Nairóbi sem uma companhia ajudando, ter me guiado por toda a cidade. Certamente minha mãe podia realizar qualquer coisa que colocasse na cabeça.

7

Curados os olhos, foi-me possível voltar às brincadeiras de minha infância com maior independência e satisfação. Uma das brincadeiras de que meus olhos ruins não teriam me permitido participar envolvia deslizar por uma ladeira em cima de uma prancha ao longo de uma trilha escorregadia, alisada com água, que os garotos haviam traçado a partir dos pântanos de Manguo. A trilha escorregadia terminava logo acima duma estrada de terra usada por veículos motorizados. A ideia era descer o mais rápido que se conseguisse e depois subitamente guinar para a esquerda ou para a direita pouco antes da estrada. A coisa toda exigia bons olhos para evitar possíveis colisões com um automóvel em movimento. Agora eu era capaz de praticar aquele esporte. Era perigoso mas emocionante, e ao fim do dia eu ficava coberto de lama. Minha mãe prontamente proibiu-o, censurando-me por ensinar maus hábitos ao meu irmão caçula.

Também jogávamos uma espécie de sinuca; o chão era a mesa, e em vez de quatro buracos havia apenas um. Dois competidores, cada um com seis tampinhas de garrafa na mão, postavam-se a uma distância combinada e em rodadas arremessavam todas no buraco, sendo o objetivo conseguir pôr o máximo possível delas dentro do buraco com o primeiro arremesso. Quanto às que erravam o buraco, cada jogador, com um "batedor" — uma tampinha atochada de lama para que ficasse pesada —, tentava resvalá-las para dentro do buraco. O vencedor recolhia as tampinhas do derrotado. O jogador com o maior placar era o campeão, que aguardava os desafiantes com suas próprias seis tampinhas de garrafa. Havia garotos que permaneciam campeões invictos por dias, e com o tempo atraíam desafiantes de outras aldeias. Eu nunca fui bom nisso porque envolvia uma boa coordenação dos olhos e das mãos. Esse jogo em particular, na temporada, era viciante e com frequência fazia com que alguns garotos descuidassem de suas tarefas domésticas para buscar a fama por meio do acúmulo de tampinhas de garrafa. Às vezes os mais habilidosos jogavam a dinheiro. Minha mãe era muito firme contra nossa participação.

Minha mãe detestava quaisquer jogos que envolvessem multidões de garotos longe de casa. Queria que nos restringíssemos àqueles que podiam ser jogados em nosso quintal, tal como pular corda e amarelinha, mas meu irmão caçula e eu não éramos páreos para nossas meias-irmãs e os amigos delas. Pulando corda, eles conseguiam fazer os truques mais complexos.

Assim como as crianças de todos os lugares, eu inventava aviões. Pegava uma única palha seca de milho, de 2,5 centímetros de comprimento e 1,25 de largura, e fazia um furo no meio, no qual punha um fino ramo bifurcado para servir de leme. Conforme segurava na extremidade mais longa do graveto e corria contra o vento, a palha girava cada vez mais, e quanto mais rápido eu corria, mais rápido ela girava. Meu irmão fez seu próprio avião da mesma maneira. Éramos pilotos competindo um com o outro, fazendo formações e manobras aéreas complexas. Era divertido. Eu não precisava semicerrar os olhos para conseguir enxergar.

Também fazíamos piões, os quais rodávamos golpeando os seus lados com uma pequena cinta feita de cordas de sisal. Aqui, o objetivo era ver quem conseguia manter seu pião rodando por mais tempo, mas às vezes também incluía correr com o pião por determinada distância para ser o primeiro a cruzar a linha de chegada. As manobras mais complexas incluíam tentar derrubar o pião do oponente com o seu, mantendo este rodando.

Progredimos a projetos e engenharias mais desafiantes: fazendo bicicletas, carros, caminhões, ônibus de brinquedo com todas as partes — chassi, rodas, direção — conduzidos por mão de obra humana em vez de mecanismos internos de combustão. Algumas crianças acrescentavam ciclistas, motoristas e passageiros de brinquedo. Reuníamo-nos em trilhas e em espaços abertos para exibir nossas obras, mas também para observar os melhores projetos a fim de incorporar algumas das ideias em nossas criações futuras.

Mas também aprendemos a fazer brinquedos úteis. Não tendo minha mãe nenhuma filha nova, fizemos para ela o que as filhas jovens de nossa idade faziam para as suas mães: apanhar e carregar lenha nas costas com uma cinta pendurada em nossa testa. Os homens não carregavam cargas dessa maneira; faziam-no em cima da cabeça ou nos ombros. Aquilo então nos rendeu o rótulo de "filhas da mamãe". Era para ser um elogio, mas eu não gostava da expressão. Então procuramos uma alternativa mais máscula, que não envolvesse nossas costas, ombros ou cabeças. Um carreto! Já que não poderíamos comprar um carrinho de mão como aqueles que víamos na casa do senhorio e no centro de compras indiano, decidimos fazer um a partir de madeira. Pegamos um pedaço espesso, o cortamos, o talhamos redondo com um machete e então fizemos um furo no meio para pôr a roda dentada. Fizemos o corpo inteiramente com madeira. Mas nunca tivemos êxito em tornar prestável nosso carrinho de mão, especialmente em solos revolvidos, quando a roda escavava a terra, ou sob tempo chuvoso, quando ele emperrava na lama. Precisávamos de uma roda de ferro adequada. Um garoto chamado Gacĩgua se ofereceu para nos conseguir uma de verdade, uma roda de segunda mão recuperada de carrinhos de mão antigos, por trinta centavos. Mas até mesmo um único centavo era difícil de aparecer.

Eu teria que me arriscar na colheita de chá. Implorei às minhas irmãs mais velhas para que me deixassem acompanhá-las a uma plantação de chá de propriedade de um homem branco apelidado de Gacurio porque usava calças com suspensórios sobre a barriga. Sementes de chá da Índia foram introduzidas pela primeira vez em Limuru em 1903, mas para mim, ao olhar para a vasta e infinita folhagem à minha frente, parecia que os arbustos de chá tinham feito parte dessa paisagem desde o princípio dos tempos. Um capataz africano designava aos diferentes trabalhadores quais fileiras deviam ser apanhadas. Limuru era fria e com frequência sujeita a pancadas de chuva fina. Sacos de sisal pendendo de nossas cabeças serviam de capas de chuva. A tarefa provou-se difícil demais para mim; eu mal conseguia alcançar a copa dos arbustos de chá, e não conseguia colhê-los da maneira como mãos experientes eram capazes de fazer. Conseguiam colher as folhas e habilmente jogá-las para trás por cima dos ombros num enorme cesto pendurado nas costas. Eu não tinha um cesto próprio, e tornei-me um estorvo, sempre no meio do caminho, e minhas irmãs não me levaram junto de novo. Apesar de minha necessidade de trinta centavos, não insisti.

Era mais fácil com as flores de píretro, e quando a estação chegou fui com meus irmãos e irmãs mais velhos à colheita na casa do senhorio, e dessa vez meu irmão caçula também veio junto. No entanto, era difícil: levávamos um dia todo só para encher um pequeno cesto de sisal.

Não sei quanto tempo levou, mas por fim conseguimos ganhar dinheiro suficiente para pagar pela roda de ferro. O proprietário aumentou a taxa requerida. Eu estava tão ansioso para conseguir a roda que dei, como sinal, o dinheiro que tinha, mas quando levantei o que faltava, a roda não estava mais disponível, e era ele quem agora me devia dinheiro. Prometeu conseguir-nos uma nova roda. Decepcionados, retomamos nosso empenho na engenharia e por fim saímos com uma roda melhor e de funcionamento mais suave.

Coletamos então madeira, pregos e cabos onde quer que pudéssemos e conseguimos obter algo que se parecia com um carrinho de mão. Equipados com nossa nova geringonça enormemente aprimorada, percorríamos distâncias para juntar lenha ou coletar água com uma vasilha de lata. Muito frequentemente a roda não se movia no eixo, sobretudo em superfícies acidentadas e irregulares, e se fazia necessária a força de nós dois, um na frente puxando com uma corda e outro atrás empurrando pelos puxadores.

Levávamos nossa geringonça caseira a toda parte, até mesmo aos campos de píretro, onde atraía a atenção de outras crianças, particularmente de Njimi e Gĩtaũ, os jovens filhos do senhorio, que com frequência iam aos campos não para trabalhar, mas para fazer companhia aos colegas de mesma idade, quebrando a monotonia do confinamento domiciliar. Maravilharam-se de nossa geringonça e imploraram para empurrá-la. Ficamos relutantes em deixar outras pessoas a tocarem, então eles nos trouxeram um carrinho de mão verdadeiro para substituir o nosso. Que diferença entre a coisa real e a nossa invenção! Mas a nossa tinha o fascínio de um brinquedo caseiro!

Usávamos a demanda por nosso brinquedo para obter outros privilégios. Os campos de píretro não haviam comido toda a floresta. Ela estava ainda densa de arbustos. Íamos lá trepar nas árvores, às vezes construir pontes entre elas ligando os galhos de uma árvore com os de outra, ou usando os galhos para balançar de árvore em árvore. O que mais ansiávamos era caçar e capturar uma lebre, ou até mesmo um antílope. Um antílope foi uma vez avistado nos campos de píretro e toda a força de trabalho parou o que estava fazendo para perseguir o animal, gritando: Peguem o antílope, mas o animal era rápido demais para os perseguidores vociferantes. Nós com frequência ouvíamos dizer sobre garotos que haviam conseguido aprisionar um ou outro, mas ficou claro a partir dessa experiência que, sem um cão para nos ajudar, nunca conseguiríamos pegar uma lebre, que dirá um antílope. Em troca do direito de empurrar nosso carrinho de mão, persuadimos Njimi e Gĩtaũ a trazer seus cães para nos ajudar a pegar um animal e carregar sua carcaça para casa num carrinho de mão. Tivemos sorte e avistamos uma lebre e, conduzidos pelos cães, imediatamente começamos a persegui-la. Logo os cães e a lebre deixaram-nos para trás, mas o latido nos levou a um denso arbusto espinhoso. Os cães latiam para o arbusto, dentro do qual uma lebre muito assustada se escondia, e nenhuma quantidade de pedras atiradas ou balançar o arbusto persuadiu a lebre a deixar sua toca. Nós nunca capturamos uma lebre, e após algum tempo a novidade do carrinho de mão caseiro tornou-se obsoleta para Njimi e Gĩtaũ, e o privilégio de empurrá-lo ficou inútil para nós. Meu irmão e eu ansiávamos ter cães que se prontificariam a um comando nosso a qualquer momento que quiséssemos caçar, ou cães que nos seguissem enquanto pilotávamos nossos aviões.

Mas o carrinho de mão não havia ainda perdido seu encanto àqueles que o viam pela primeira vez. Um garoto indiano encantou--se com seu poder lúdico. A comunidade indiana resguardava-se a si mesma, ligando-se aos africanos e aos brancos somente através de suas lojas. Na frente ficava o mercador indiano. Vida familiar diversa ficava no quintal, cercado por altas paredes de pedra. Paredes de pedra cercavam similarmente até mesmo o pátio da escola. As únicas pessoas africanas que tinham vislumbres da vida de uma família indiana eram lavadores e faxineiros, que diziam que os indianos eram de muitas nacionalidades, religiões e línguas — Sikhs, Jains, Hindus, Gujaratis. Falavam de conflitos entre e dentro das famílias, contradizendo a imagem de aparente harmonia. Havia ainda menos contato entre as crianças indianas e as africanas. Às vezes, quando alguns deles se aventuravam além das lojas, garotos africanos atiravam pedras neles pelo prazer de vê-los recuar a seus quintais barricados. De dentro das barricadas, eles também atiravam pedras. Os mais temidos eram os Sikhs de turbante porque se dizia que carregavam espadas, e quando corriam de volta a seus quintais entendíamos que o faziam para pegar suas perigosas armas. Mas a curiosidade de uma criança sobre as outras às vezes superava os obstáculos das paredes de pedra e os avisos dos adultos. Foi assim que o nosso bambo carrinho de mão caseiro atraiu os olhos do garoto indiano que implorou para ter permissão de empurrá-lo. Ele facilitou a negociação ao nos dar duas minúsculas bolas de gude multicoloridas. Mais tarde, lançou mão de um ocasional doce dado como presente para abrir caminho à partilha humana. E finalmente algum tipo de amizade foi selada ao ganharmos dois filhotinhos de cachorro cuja mãe havia dado à luz uma ninhada grande demais.

Por fim tínhamos cães para chamar de nossos. Trouxemo-los para casa triunfalmente, mas minha mãe detestava tanto merda de cachorro que ela os pôs num cesto e os levou de volta ao centro de compras indiano e os soltou. Dissemos ao nosso amigo indiano que os filhotinhos tinham fugido e ele nos deu outro. Tentamos criar o filhotinho em segredo, construindo um canil no arbusto perto do aterro. Nós o alimentávamos escondido, mas nossa mãe devia estar na nossa cola. Um dia acordamos e descobrimos que o filhotinho havia sumido. Nunca mais vimos nosso generoso amigo indiano, e não podíamos bater à sua porta para chamá-lo. Ademais, o que lhe diríamos? Que, mais uma vez, o filhotinho havia fugido?

Eu em breve seria curado de qualquer amor pelos cães. Estava indo aos campos de píretro um dia, transpondo o caminho até a casa do senhorio, quando seus cães, os mesmos cães que haviam sido nossos companheiros na caça, vieram até mim latindo. Corri para valer, mas os cães me derrubaram e um deles cravou os dentes na minha perna logo acima do tornozelo direito, uma mordida que deixou uma cicatriz e um perpétuo medo de cães.

Recordei-me e identifiquei-me com o pavor da lebre que havíamos tentado pegar antes. Eu viria a deixar a caça de lado e me aferraria aos meus brinquedos caseiros.

8

Certa noite, minha mãe me perguntou: Você gostaria de ir para a escola? Foi em 1947. Não consigo recordar o dia ou o mês. Lembro--me de ter ficado mudo, a princípio. Mas a pergunta e a cena ficaram para sempre gravadas na minha mente.

Mesmo antes de Kabae ter sido desmobilizado, a maior parte dos filhos mais novos que ele, incluindo meu irmão mais velho, Wallace Mwangi, havia entrado na escola, a maior parte deles abandonou-a após um ano ou dois, por causa do preço da mensalidade. As meninas, tão inteligentes, se saíram pior ainda, frequentando a escola por menos de um ano, algumas delas instruindo-se em casa e aprendendo o bastante para serem capazes de ler a Bíblia. A escola estava muito além de meu alcance, era algo exclusivo àqueles mais velhos do que eu ou àqueles que vinham de uma família abastada. Nunca pensei nela como uma possibilidade para mim.

Portanto, eu havia acalentado em silêncio o desejo da aprendizagem. Embora sua semente tivesse sido plantada pela posição de meu meio-irmão Kabae na casa de meu pai, seu crescimento foi influenciado menos pelo seu exemplo ou pelo exemplo do meu próprio irmão Wallace Mwangi que pelas crianças do Lorde Reverendo Kahahu: Njambi, a garota, e Njimi, um menino, ambos próximos da minha idade. Quando trabalhei nos campos do pai deles colhendo flores de píretro, com frequência interagia com eles, mas nunca imaginei que algum dia faria parte de seu mundo. No quesito estilo de vida, habitávamos esferas opostas.

O patrimônio de veículos motorizados, idas à igreja, poder econômico e modernidade dos Kahahu era um contraste com o nosso, uma reserva de trabalho duro, pobreza e tradição, apesar das gloriosas façanhas de Kabae e da riqueza de meu pai em vacas e cabras e sua adulação de nossos antepassados. A diferença entre nossas roupas e aquelas que as crianças Kahahu trajavam era flagrante: as garotas tinham vestidos; a maioria das minhas irmãs trajavam mantas brancas de algodão, às vezes tingidas de azul, sobre uma saia, cujas extremidades eram presas por alfinetes e por um cinto de lã tricotado. As camisas e as bermudas cáqui dos jovens garotos Kahahu, por sua vez presas por suspensórios, faziam contraste com minha peça única de pano de algodão retangular, um lado debaixo de minha axila esquerda e com os dois cantos amarrados num nó sobre o ombro direito. Nem bermuda, nem roupa de baixo. Quando meu irmão caçula e eu descíamos a serra, jogando nossos jogos, o vento transformava nossas vestes em asas, que seguiam nossos corpos nus. Eu associava a escola a roupas cáqui, bermuda, suspensórios e alças de ombro. Conforme minha mãe agora agitava a ideia da escola diante da minha vista, também pude entrever o uniforme.

Era o oferecimento do impossível o que me destituía de palavras. Minha mãe teve que fazer a pergunta de novo.

— Sim, sim — disse eu rapidamente, no caso de ela ter mudado de ideia.

— Você sabe que somos pobres.

— Sim.

— E por isso talvez você nem sempre leve uma refeição de meio-dia.

— Sim, Mãe.

— Me promete que não vai me envergonhar se recusando algum dia a ir à escola por causa da fome ou de outras dificuldades?

— Sim, sim!

— E que sempre vai dar o seu melhor?

Eu teria prometido qualquer coisa naquele momento. Mas quando olhei para ela e disse "Sim", lá no fundo sabia que ela e eu havíamos feito um pacto: eu sempre tentaria dar o meu melhor, fosse qual fosse a dificuldade, fosse qual fosse o obstáculo.

— Você vai começar na escola Kamandūra.

Não sei por que minha mãe escolheu Kamandūra, para onde as crianças do senhorio iam, em vez da escola Manguo, que meu irmão Wallace Mwangi havia frequentado. Pode ter sido por causa de diferenças de mensalidades, ou porque meu tio Gĩcini, muito mais velho que eu, fora para Kamandūra e cuidaria de mim. Suspeito que minha mãe tenha acabado confiando no Lorde Reverendo Kahahu devido ao seu papel no auxílio à cura de meus olhos, e que ela agia seguindo aconselhamento dele. Eu não me importava com essa escolha, porque desse modo certamente teria um uniforme escolar igual ao das crianças do senhorio.

Meu pai não teve nenhuma participação nessa iniciativa. Foi uma idealização de minha mãe e obra inteira sua. Ela juntou dinheiro para a mensalidade e o uniforme vendendo sua produção no mercado. E então certo dia ela me levou ao centro de compras indiano. Eu já havia estado lá, mas nunca tinha visto as lojas como coisas diretamente relacionadas a mim, exceto que algumas das lojas guardavam pedras de açúcar não refinado — mascavo ou rapadura ou *cukari wa nguru*, como o chamávamos — que comprávamos por alguns centavos; era nossa bala. Mas agora eu via as lojas anunciadas como Empório do Xá ou Cortinas sob uma luz diferente: elas continham o que iria satisfazer meu desejo. Por fim rumamos até uma loja especializada em roupas escolares. Da parede pendia o retrato de um esguio homem indiano usando óculos. Parecia estar vestido num pano de algodão que servia tanto como calça quanto como camisa. Como é possível?, pensei, perguntando-me se eu poderia ter adaptado minha veste de forma que cobrisse meu corpo da mesma maneira. Minha mãe me comprou uma camisa e um par de bermudas, das mais simples, sem suspensórios ou alças de ombro, mas a ausência desses ornamentos não diminuiu meu prazer. Esqueci-me de perguntar a minha mãe quem era o indiano de aparência frágil e por que seu retrato estava pendurado na parede. Eu estava perdido em contemplações de minhas novas posses. Minha única decepção foi que eu teria que aguardar a escola começar para poder usá-las. E então, finalmente!

O dia em que trajo meu uniforme cáqui e caminho três quilômetros até Kamandūra é quando entro e flutuo na suave bruma da terra do sonho. Estou na bruma enquanto Njambi, a filha mais nova do senhorio, que me guiou na escola no primeiro dia, me mostra minha aula inicial, no pré-B, ministrada por sua irmã mais velha, Joana. Os professores são personagens num sonho. O olhudo Isaac Kuria está cadastrando novos alunos. Ele pergunta meu nome. Eu digo: Ngūgī wa Wanjikū, porque em casa sou identificado como filho de minha mãe. Fico confuso quando isso é recebido com risadinhas na classe. Então ele me pergunta: Qual é o nome de seu pai?, e eu digo: Thiong'o. Ngūgī wa Thiong'o é a identidade que devo carregar por toda parte nessa escola, mas não fico em conflito com as duas formas de me identificar.

Mais tarde, aprendo que pré-B e pré-A são uma espécie de estágio pré-primário, ligeiramente abaixo da primeira série, ou primeiro padrão, como era chamado. Ingressei no pré-B no terceiro tempo, portanto os outros estiveram nele durante os dois primeiros trimestres. Njambi já está na primeira série, duas à frente, portanto não pode me ajudar a navegar nesta aula. Sentamo-nos em bancos sem carteiras ou mesas. As três aulas são dadas ao mesmo tempo numa igreja de paredes de ferro corrugado com um teto, mas em espaços diferentes sem quaisquer divisões. Posso ouvir e ver tudo que está acontecendo nos outros espaços, mas, como logo aprendo, ai de quem for pego prestando atenção no que acontece fora do espaço de cada um. Mas é difícil não olhar, já que a maior parte do ensino assume a forma de chamada-e-resposta, com o professor escrevendo e lendo em voz alta alguns números ou um alfabeto na lousa, com as crianças repetindo depois dele ou dela, em cantilena. Todos, os professores, os estudantes, parecem esplêndidos em sua estranheza.

Retornei a casa à tardinha, ainda sonhando, apenas para acordar para a realidade. Eu tinha que tirar o uniforme escolar e voltar para o meu traje usual. Isso se tornou rotina. Inicialmente estava tudo bem, mas em breve descobri que o constrangimento cada vez mais se esgueirava para dentro de minha consciência do mundo, sobretudo quando encontrava as outras crianças que haviam simplesmente trocado o uniforme por bermudas e camisas normais. Mas cuidar de minhas roupas escolares era uma das promessas que eu havia feito a minha mãe. Ela lavava o único conjunto de camisa e bermudas todo fim de semana para que eu pudesse vesti-lo nas segundas-feiras. Quando eu sujava as roupas em dias de semana, ela as lavava e secava de noite perto da fogueira.

A escola continua sendo um ambiente totalmente diferente daquele de minha ordinária existência. Sinto-me um forasteiro em nosso mundo, ao qual todos os outros parecem pertencer. Há muitas coisas que não entendo. Mas um costume entre crianças e professores me intriga. Antes de se espalhar nos diferentes espaços, todas as crianças reúnem-se no mesmo lugar, abaixam a cabeça, fecham os olhos, e o professor diz algo como: Pai Nosso que estais no Céu, e todos os reunidos continuam com o resto. Eu não fecho meus olhos. Quero ver tudo. Mas mesmo depois do Amém, algumas crianças continuam murmurando algo consigo mesmas, os olhos ainda fechados. Por um longo tempo esse hábito continua a me intrigar, e certa vez acotovelo uma das crianças próxima a mim para ver se ela irá abrir os olhos, mas ela permanece com eles fechados. Logo descubro que as crianças balbuciam uma prece silenciosa.

Em minha casa nós nunca rezamos silenciosa e individualmente. Quando meu pai costumava viver no terreno, acordava de manhã cedinho, postava-se no quintal, defrontando o Monte Quênia, vertia uma pequena libação e dizia umas palavras que terminavam num alto clamor por paz e bênçãos para toda a casa. Mais tarde aprendo a fechar meus olhos mas não tenho nada para balbuciar. Era mais divertido ficar com os olhos abertos, pois há muito mais para atrair a minha atenção.

Comprei um quadro-negro e um giz branco para meu material de escrita. Copiamos em nosso quadro o que a professora escreve na lousa. Depois ela se acerca para dar nota no quadro, marcando um "X" ou um "certo" para cada palavra ou número, soma-os e depois circula o número apurado. A princípio não percebo que após ela dar nota eu ainda tenho que aguardá-la inserir o número numa relação para o registro. Apago meu trabalho tão logo a professora lhe dá a nota, mas quando volto para casa e minha mãe me pergunta o que e como eu fiz e digo que apaguei tudo, ela diz: Então não faça isso, espere a professora dizer o que você deve fazer. A professora também me corrige, caso contrário eu teria continuado a receber zeros, e quando mais tarde ela começa a escrever 10/10 em meu quadro, e minha mãe me pergunta o que eu fiz e digo: Dez de dez, ela lança questões inquisitivas terminando com: Foi o melhor que você conseguiu fazer? Essa é uma pergunta que ela continuará fazendo em reação às minhas tarefas escolares, exercícios de sala e provas: Foi o melhor que você conseguiu fazer? Mesmo quando lhe digo orgulhosamente que acertei dez de dez, ela faz a pergunta de diferentes maneiras, até que digo que sim, fiz o meu melhor. É estranho, ela parece mais interessada no processo de obtenção do que nos verdadeiros resultados.

Eu me movo entre as aulas iniciais, sem entender muito bem por que fui transferido de pré-B para pré-A para a primeira série, tudo no mesmo trimestre, um salto de aulas que continua de período em período, de modo que dentro de um ano estou na segunda série, e minha mãe ainda continua a perguntar: Foi o melhor que você conseguiu fazer?

Não sei quanto ao melhor que eu consegui fazer; tudo o que sei é que certo dia já sou capaz de ler minha própria cartilha Gĩkũyũ que usávamos em aula, intitulada *Mũthomere wa Gĩkũyũ*. Algumas orações são simples, como aquela subscrita no desenho de um homem, com um machado no chão, o seu rosto numa careta de dor enquanto segura o joelho esquerdo com ambas as mãos, gotas de sangue escorrendo. A imagem é mais interessante que as palavras: *Kamau etemete. Etemete Kuguru. Etemete na ithanwa!* Kamau se cortou. Ele cortou a perna. Ele se cortou com um machado! Ataco longas passagens que não têm ilustrações. Há uma passagem que leio de novo e de novo, e subitamente, certo dia, começo a ouvir música nas palavras:

> *Deus deu aos Agĩkũyũ um belo país*
> *Abundante em água, comida e açucarados arbustos*
> *Os Agĩkũyũ deveriam louvar ao Senhor todo o tempo*
> *Pois ele sempre foi generoso com eles*

Mesmo quando não leio a passagem, consigo ouvir-lhe a música. A escolha e o arranjo das palavras, a cadência... Não consigo escolher só um aspecto que a torna tão bela e longeva em minha memória. Percebo que mesmo as palavras escritas podem transmitir a música que eu amava nas histórias, particularmente a melodia dos coros. E no entanto isso não é uma história; é uma afirmação descritiva. Não traz uma ilustração. É uma imagem em si mesma e, contudo, mais do que uma imagem e uma descrição. É música. Palavras escritas também podem cantar.

E então certo dia eu topo com uma cópia do Velho Testamento, pode ter pertencido a Kabae, e no momento em que descubro ser capaz de lê-lo, ele se transforma em meu livro mágico com a capacidade de me contar histórias mesmo quando estou sozinho, de noite ou de dia. Não tenho que aguardar as sessões na casa de Wangarĩ a fim de ouvir uma história. Leio o Velho Testamento onde quer que eu esteja, em qualquer hora do dia ou da noite, após ter terminado minhas tarefas. Os personagens bíblicos tornam-se meus companheiros. Algumas histórias são aterrorizantes, como a de Caim matando seu irmão Abel. Certa noite na casa de Wangarĩ a história deles torna-se assunto de acalorada discussão. A história, conforme emerge nesse cenário, é um pouco diferente da que eu li, mas não menos aterrorizante. Nessa versão Caim é condenado a vagar eternamente pelo universo. Carrega a marca do mal na testa e viaja de noite, uma figura alta cuja cabeça raspa o firmamento. Alguns dos contadores de histórias alegam que tarde de uma noite eles encontraram com Caim e correram para casa apavorados.

Muito vívida, de uma maneira positiva, é a história de Davi. Eis Davi tocando a harpa para um rei Saulo de temperamentos contraditórios. Sua alternância de amor e ódio é quase difícil de suportar. Anos depois eu iria me identificar completamente com os versos da balada "Pequeno Davi, toque sua harpa". Mas Davi, o harpista, o poeta, o cantor, é também um guerreiro que consegue manejar estilingadas contra Golias. Ele, o vitorioso sobre os gigantes, é como a vigarista Lebre, nas histórias contadas na casa de Wangarĩ, a qual sempre conseguia desbancar brutamontes mais fortes. Quando depois aprendi como fazer um estilingue preso a um ramo bifurcado, pensaria no estilingue de Davi, embora nunca tenha encontrado meu Golias na guerra. Davi, o poeta-guerreiro, permanece um ideal em minha mente.

Alguns atos e cenas são simplesmente mágica dentro de mágica: Jonas engolido por uma baleia e depois vomitado ileso numa outra praia; Sadraque, Mesaque e Abednego, com um anjo entre eles, caminhando incólumes dentro de uma fornalha de fogo ardente; Daniel interpretando corretamente a inscrição na parede —

MENE, TEQUEL e PERES —, o que me fez procurar por inscrições em paredes a fim de que pudesse interpretá-las; e Daniel na cova de um leão, emergindo sem ferimentos; ou Josué tocando uma trombeta que faz vir abaixo as muralhas de Jericó. Algumas dessas imagens são poderosas e permanecem gravadas em minha mente. Eu agora entendo por que os cristãos em Kamandūra sempre iniciavam suas preces invocando o Deus de Abraão e Isaac.

O período da noite me frustra porque leio à luz de um lampião de querosene inconstante e débil. Parafina significa dinheiro, e há dias em que a lamparina não tem óleo. Na maioria das vezes conto com a luz da lareira, de duração inconstante. A luz do dia é sempre bem-vinda. Permite que o livro mágico conte-me histórias sem interrupções, exceto quando tenho que realizar esta ou aquela tarefa. Essa habilidade de fugir para um mundo de mágica já vale meu ingresso na escola. Obrigado, Mãe, obrigado. A escola abriu meus olhos. Quando mais tarde na igreja ouço as palavras *Eu estava cego e agora posso ver*, do hino "Amazing Grace", me lembro da Escola Kamandūra e do dia em que aprendi a ler.

Mas por que alguém se recorda vividamente de alguns eventos e personagens enquanto de outros não? Como a mente é capaz de selecionar aquilo que se sedimenta fundo na memória e aquilo que ela permite flutuar na superfície? Alguns estudantes em Kamandūra ainda sobressaem em minha mente. Havia Lizzie Nyambura, filha de Kĩhĩka, na quinta série, reputada como sendo mais inteligente que os próprios professores, e que anos mais tarde seria a primeira mulher ou homem da região a ser admitida na Makerere University College para a formação universitária em matemática. Seu irmão Burton Kĩhĩka era reputado como sendo o mais rápido corredor na escola, e anos depois continuou satisfazendo sua paixão pela velocidade correndo pelas rodovias numa motocicleta, com várias quedas e fugas da morte. Havia Njambi Kahahu, minha antiga guia, que em seguida frequentou as Alliance Girls e depois foi aos Estados

Unidos, casou-se, e então morreu tragicamente enquanto dava à luz. Havia um Ndũng'ũ wa Livingstone, com suspensórios, um dos quais sempre caía de seu ombro e pendia frouxamente de lado, e que possuía o único quadro-negro com linhas entalhadas, e cuja caligrafia era exibida como exemplar. Havia Mũmbi wa Mbero, que anos mais tarde se tornaria a primeira mulher ou homem a dirigir uma lambreta em nossa cidade. E havia Mary, mais tarde casada com Kĩbũthũ, irmão de Mũmbi, a qual costumava lutar com garotos grandes no chão. Ao longo de minha estada em Kamandũra, eu morria de medo dela, eu a evitava, e acho que nunca falei com ela, nem sequer uma vez. Havia Wamithi wa Umarĩ (Hamisi Omari, que anos mais tarde se casaria com Wanja, uma de minhas meias-irmãs) e Juma, que vieram de famílias muçulmanas, e embora frequentassem uma escola cristã, o fato nunca pareceu lhes aborrecer ou quem quer que seja.

Mas as crianças também podiam ser muito cruéis, valentonas impiedosas, como no caso de Igogo. Ele era muito alto, mais alto e mais velho que as outras crianças. Seu nome significava "Corvo" ou "Melro". Algumas crianças se enturmavam e, quando perto dele, crocitavam como um pássaro. Isso costumava chateá-lo, mas quando ele corria na direção delas em fúria, elas simplesmente se dispersavam em diferentes direções. Em alguns dias ele ficava muito exaurido por ter perseguido seus algozes antes de decidir correr para casa, uma figura solitária, com crianças em arbustos e outras seguindo-o a certa distância cantando seu nome em diferentes tons de zombaria. Ele não conseguia ajuda dos professores: como poderiam proibir as crianças de imitar um corvo? No fim, ele parou de ir à escola, e, fossem quais fossem suas outras razões, essa crueldade coletiva era um fator agravante.

Muitos dos professores em Kamandũra são silhuetas em minha memória, embora eu me recorde do olhudo Isaac Kuria, que me cadastrou como filho de meu pai em vez de filho de minha mãe.

Havia também Paul Kahahu, que iria mais tarde figurar nos destinos de minha família expandida; sua irmã, Joana, a quem credito ter me auxiliado a aprender a ler; e Rahabu Nyokabi Kĩambati, o qual, mais tarde, as proles de muitas famílias iriam também reivindicar como seu professor. Há um professor, Benson Kamau, apelidado de Gĩthuri, "Homem Velho", que costumava cantar suas lições, mas com letras disparatadas, como *Vacas são propriedade; dinheiro é propriedade; cabras são propriedade*, que se tornaram cada vez mais absurdamente monótonas com a repetição — mas elas ficaram na mente.

Um evento eu sempre recordo com mágoa. Estava na primeira série quando a professora Joana me selecionou para que me juntasse a um grupo de apresentação que iria recitar de memória as Beatitudes do Evangelho de São Mateus e uma passagem de Marcos na reunião de fim de ano de estudantes e pais. Confiei as passagens todas à memória. Eram poéticas. Eram música. Ansiei por elas. Sonhei com elas. Mas no dia da apresentação saí de casa um pouco tarde e cheguei bem quando o grupo estava dizendo: *Então lhe traziam algumas crianças para que as tocasse; mas os discípulos o repreenderam. Jesus, porém, vendo isto, indignou-se e disse-lhes: Deixai vir a mim as crianças, e não as impeçais, porque de tais é o reino de Deus.*

O fracasso em me apresentar deixou um vazio em mim, uma necessidade de uma segunda chance para me redimir de mim mesmo. Pela duração de minha estada na escola eu sempre esperei que tal chance surgisse.

Nunca surgiu. Um dia meu irmão mais velho, Wallace Mwangi, com minha mãe estando aparentemente de acordo, me contou que eu teria de deixar Kamandũra por Manguo. Foi muito súbito, inesperado. Estávamos no fim de 1948, e eu estivera em Kamandũra por apenas dois anos, ou, mais precisamente, um ano e meio, porque comecei no último trimestre de 1947. Eu tinha muitas perguntas, mas já sabia que isso encerraria uma importante fase de minha vida.

A alternância entre sonho e realidade que meu período em Kamandūra havia sido tinha agora terminado, mas eu para sempre carregaria comigo a magia de ter aprendido a ler e também a memória da perda. Talvez a desconhecida Manguo viesse incrementar a magia da leitura, e até abrandar a dor da perda, mas duvidei que pudesse algum dia preencher o vazio.

9

Manguo ficava a pouca distância: localizava-se na serra oposta ao nosso lar, a herdade de meu pai; descia-se a encosta de nossa serra, um estreito vale perto dos pântanos de Manguo, depois subia-se a serra seguinte, a serra de Kĩeya, até o terreno. A curta distância e a notícia de que meu irmão caçula ingressaria na escola Manguo foram suficientes para me animar, e comecei a me sentir bem com a mudança.

Njinjũ era especial para mim e assim permaneceu mesmo depois que percebi que minhas lágrimas nada tinham a ver com sua chegada ao mundo. Mas a rivalidade fraterna na procura da afeição de nossa mãe sempre gerou tensão entre nós. Dividindo a mesma cama com meu pai, nós com frequência brigávamos para ser o próximo a receber os peitos da Mãe. Porém, momentos de tensão se alternavam com os de extrema afeição quando dividíamos tudo, uma banana, uma batata-doce, mordendo-as revezadamente, alegremente. Mas alguns dias depois surgiam acusações e contra-acusações sobre quem havia dado as maiores mordidas ou quem havia roubado a vez; a Mãe resolvia isso advertindo-nos a amar um ao outro como irmãos, e depois seguia uma pequena conversa sobre a importância da família. Ela não precisava nos convencer: éramos ao mesmo tempo irmãos e melhores amigos.

Uma vez, logo após ser transferido para Manguo, pulei por cima de uma baixa cerca de arame farpado em torno da escola. Uma das farpas pegou no peito do meu pé esquerdo e rasgou fundo a pele. Depois aquilo inchou e doeu tanto que eu não conseguia andar. Não havia consultórios médicos nas redondezas e nenhum doutor que conseguíssemos pagar. Minha mãe simplesmente continuou limpando a ferida com água salgada. Meu irmão literalmente me carreava de um lugar para outro dentro do carrinho de mão. De alguma forma, após minha mãe cuidar de meu pé por semanas, consegui caminhar de novo. Uma cicatriz de dois centímetros e meio de comprimento permanece até os dias de hoje. E também um manancial de gratidão, pois anos depois tomei conhecimento de uma criança que havia morrido de uma ferida similar, envenenada pelo tétano.

Mas essa memória e meu amor por Njinjũ ficaram nuançados com a culpa acarretada por minhas roupas novas. Eu crescera acostumado às bermudas cáqui na escola, mesmo que em casa continuasse a usar meu tradicional traje folgado e amarrado sobre o ombro direito, tal como meu irmão, que apenas ocasionalmente usava bermuda por baixo. A essa altura, meu irmão e eu éramos inseparáveis. Com frequência eu tentava lhe ensinar o que aprendera na escola, mas ele resistia, sobretudo à medida que ele mesmo começou a frequentar a escola e aprender diretamente com professores apropriados tal como eu aprendera. Ele queria ser respeitado como um igual; eu queria um irmão caçula que me admirasse.

Num fim de semana em que houve esportes nos domínios da fábrica de calçados Bata de Limuru, fui autorizado a pôr meu uniforme escolar. Meu irmão, que ainda não havia começado na escola e portanto não tinha uniforme, simplesmente vestiu bermudas e deu um nó em seu traje. Festivais esportivos eram sempre muito divertidos. Eu adorava as corridas acima de tudo, especialmente as de longa distância, de um quilômetro e meio ou mais, fascinado como eu era pela marcha e mudança de táticas. Muitos concorrentes começavam juntos. Então apenas uns poucos chegavam à frente, e, por volta do fim, dois ou três por fim se afastavam de todos os outros e lutavam para derrotar um ao outro até chegar na faixa. Nas longas distâncias, os líderes prosseguiam alternando-se, alguns literalmente vindos de muito atrás, até mesmo ultrapassando outros e superando-os em uma volta. Meu irmão e eu nos divertíamos caminhando em torno do campo esportivo, misturando-nos às multidões. E foi assim que, à minha frente, vi alguns estudantes que eu não conhecia direito vindo em minha direção. De repente tomei consciência, como se o fizesse pela primeira vez, de que meu irmão estava em sua vestimenta tradicional.

O constrangimento que vinha se instalando em minha consciência do mundo ao redor, desde que pela primeira vez usei roupas novas para ir à escola, voltou de maneira intensa. O pânico arrebatou-me. Fiz a única coisa que julguei que poderia salvar a situação. Perguntei ao meu irmão se podíamos tomar dois caminhos diferentes ao redor do campo e ver quem chegaria ao outro lado primeiro. Meu irmão e eu estávamos acostumados a tais rivalidades amigáveis, e ele prontamente aceitou o desafio. Ora, eu ultrapassei as outras crianças uniformizadas. Não olharam para mim nem uma vez sequer, nem desta nem doutra maneira. Afinal de contas, eu era novo na escola. Quando meu irmão e eu nos encontramos, eu já estava arrependido, enquanto ele fervilhava de alegria no ponto de encontro por ter me vencido. Meu comportamento arruinou o resto do meu dia. Talvez tivesse achado minha angústia mais fácil de suportar caso a tivesse expressado ao meu irmão. Mas não o fiz e ela permaneceu e não queria ir embora. O problema, vim a compreender, não estava no meu irmão ou nos outros garotos, e sim em mim. Estava dentro de mim. Eu perdera o contato com quem era e com o lugar de onde viera. A crença em si mesmo é mais importante do que intermináveis temores acerca do que os outros pensam de você. Valorize-se, e os outros irão valorizá-lo. A melhor legitimação é a que vem de dentro. Em tribulações futuras, esse pensamento sempre me ajudou a suportar e superar desafios contando com a minha própria força de vontade e determinação, mesmo quando os outros eram céticos a meu respeito. Ainda mais importante, isso me fez compreender que a instrução e o estilo de vida podiam influenciar o julgamento de uma maneira negativa e afastar as pessoas.

Em compensação, me senti e me tornei ainda mais protetor e mais próximo de meu irmão caçula. Mais intensamente ansiei por ele se juntar a mim em Manguo. Eu garantiria que nada se intrometesse entre nós.

Mal havíamos cumprido dois períodos na nova escola quando a tentação, vinda na forma de um trem, desafiou meu comprometimento.

10

Certa noite minha mãe contou ao meu irmão caçula e a mim que ela ficaria fora por alguns dias. Iria a Elburgon, ou Warubaga, como a chamávamos, no Vale Rift, visitar minha avó Gathoni; o tio, Daudi Gatune; e a irmã, a Titia Wanjirū. As outras mulheres cuidariam de nós, e ela queria a garantia de que nos comportaríamos bem enquanto estivesse fora. A decisão foi repentina, e meu irmão pareceu mais aflito que feliz em relação à futura viagem.

Eu ouvira falar de minha avó materna que morava muito distante com a Titia Wanjirū. Mas para mim elas eram apenas nomes, porque nunca as havia encontrado em carne e osso, ou, se havia, não conseguia recordar. Mas no momento em que minha mãe acrescentou que ela iria para lá de trem, a cena mudou dramaticamente. Ambos queríamos acompanhá-la. Você não pode nos deixar para trás, exclamamos. Mas estávamos no meio do ano escolar e meu irmão caçula havia acabado de ingressar na escola. Sim, mas Mãe, você não pode nos deixar para trás. Guardem as lágrimas, disse ela por fim. Se querem ou não deixar a escola e vir comigo, a escolha é de vocês. Têm três dias para pensar nisso!

A linha ferroviária, que fora inaugurada em 1896 em Kilindini, Mombasa, e alcançou Kisumu em dezembro de 1901 transpondo o coração queniano, trouxera em seu rastro não apenas colonos europeus mas também trabalhadores indianos, alguns dos quais abriram lojas nos principais assentamentos de construção que mais tarde floresceram em cidades ferroviárias. Criara, também, o trabalhador nativo africano a partir do camponês que, tendo perdido sua terra, tinha então apenas a força dos próprios membros, a qual alugava ao colono branco, quando sua mão de obra não era tomada à força, e ao *dukawallah* (ou lojista) indiano, por uma miséria. A terra da qual ele detivera a soberania fora dividida nas Terras Brancas exclusivas aos europeus, nas terras da Coroa possuídas pelo Estado colonial em nome do rei britânico e nas Reservas Africanas para os nativos. Os indianos, não autorizados a possuir terras, tornaram-se mercadores habitantes das grandes e das pequenas cidades ferroviárias entre Mombasa e Kisumu. A linha ferroviária era o elo entre essas cidades muito antes de a estrada construída pelos Bonos oferecer concorrência. Essa era a mesma linha ferroviária que uma vez aterrorizara meu pai e seu irmão mais velho, mas era agora parte tão comum da paisagem que minha mãe falava sobre tomar o trem, com a gente clamando para acompanhá-la.

Não me seria possível exagerar o fascínio do trem de passageiros dominical de Mombasa a Kisumu ou Kampala. Ele sempre fazia uma parada em Limuru, onde a estação ferroviária foi inaugurada em 10 de novembro de 1899. O trem geralmente chegava ao meio-dia. Os europeus e os indianos iam até lá para encontrar parentes e dizer adeus a outros. Alguns africanos também iam até lá fazer o mesmo. Mas a maioria dos africanos lá perambulava para ver o trem partir e chegar, deixando as crianças vagarem e se misturarem na plataforma. O apito do trem podia ser ouvido de nossa herdade, e mesmo a fumaça podia ser vista serpenteando céu acima por quem se postasse de pé no topo do aterro. Todo domingo minhas irmãs e irmãos mais velhos acordavam e se aprontavam, não para a igreja ou para as festividades nativas, mas para ver o trem. Alguns se sentavam em pequenos grupos no enorme terreno, bagunçando o cabelo um do outro enquanto outros lavavam os pés em bacias e lixavam as unhas e calcanhares com uma pedra-pomes. O terreno era um alvoroço de atividades ruidosas, uma vez que amigos de aldeias vizinhas às vezes vinham ver se todos estavam prontos para ir juntos à plataforma.

Há um domingo que se gravou para sempre em minha mente. Como de hábito meus irmãos e irmãs haviam realizado suas abluções e seus preparativos de manhã. Mas eles não se programaram adequadamente. De súbito, ouviram o trem assoviando conforme se aproximava da estação. Vamos nos atrasar para o trem!, ouviu-se o grito cacofônico. Dentro de segundos eles todos deram nos calcanhares, correndo declive abaixo como se estivessem numa competição de atletismo. As irmãs Gathoni, Kageci e Nyagaki, e os amigos Wamaitha e Nyagiko; os meios-irmãos Kangi, Mbici e Mwangi wa Gacoki, o mais alto de todos os meus irmãos e irmãs; e outros corriam como que para salvar a própria vida. Meu irmão caçula e os irmãos próximos de nossa idade — Wanja, Wanjirũ wa Njeri, Gakuha, Gacungwa — postaram-se no topo do aterro e deleitaram-se com essa corrida até a plataforma da estação ferroviária de Limuru.

Quando minutos depois ouvimos o trem deixar a estação, começamos a cantar aquilo que imaginávamos que o trem estava dizendo: PARA U-GAN-DA, PARA U-GAN-DA, com o trem parecendo reconhecer nossa canção e dançando com um prolongado assovio e fumaça no céu.

Eu nunca fora à plataforma testemunhar o romantismo do trem, mas é claro que ouvíramos muitas histórias fascinantes sobre ele. O trem de passageiros era dividido em seções: a primeira classe, exclusiva para europeus, a segunda classe, exclusiva para indianos, e a terceira classe, para africanos. Eu ansiava por estar lá, para ver tudo com meus próprios olhos. E eis que, enfim, eu teria uma oportunidade, não de simplesmente me postar numa plataforma e contemplar um trem em movimento, mas de eu mesmo virar um passageiro. Por que deixaria a escola e meu pacto com minha Mãe ficarem no meio do meu caminho?

Fiel à sua palavra, no terceiro dia ela lançou a pergunta e aguardou nossa decisão. Meu irmão caçula foi imediato em sua resposta. Ele tomaria o trem; ele recuperaria a aprendizagem mais tarde. Agora era a minha vez. Iria eu deixar meu irmão caçula ser o primeiro a experimentar a magia do trem? Mas como poderia deixar a escola e conviver com esse fato? Desejei que minha mãe decidisse por mim. Não houve pressão da parte dela. A escolha era toda minha. Lágrimas me escorriam pelas bochechas. Eu não podia romper o pacto feito com minha Mãe referente à escola. Não podia abandonar meus sonhos. O trem teria que me ultrapassar!

11

Nessa fase de minha vida residi num espaço social delimitado pela casa de Kahahu, a casa de Baba Mũkũrũ e a casa de meu pai. As três herdades avizinhavam-se, embora a casa de Mũkũrũ ficasse apenas alguns metros além da fronteira das terras de Kahahu. Embora não pudessem nunca erigir entre eles paredes intransponíveis, os três centros representavam três diferentes modelos de modernidade e tradição.

A modernidade do Lorde Reverendo Kahahu era visível em tudo. Ele tivera uma instrução elementar, estudara para ser reverendo, e todos os seus filhos frequentavam a escola, tendo dois deles, Joana e Paul, virado professores. Ele sempre trajava o colarinho branco de sua ocupação de reverendo; a família inteira estava sempre vestida em ternos e vestidos. Foi o primeiro a plantar píretro e um pomar de ameixas, o primeiro a possuir carruagens puxadas por bois e carroças puxadas por burros, o primeiro a introduzir arados puxados por mulas com o lavrador nos puxadores, e o primeiro a ter um carro e depois um caminhão. Seu irmão mais novo, Edward Matumbĩ, fundou a primeira serraria totalmente pertencida a africanos da região. Lorde Reverendo Stanley Kahahu exalava modernidade em sua pessoa e família.

A herdade deles, no entanto, permanecia um mistério para mim. Nunca passei além dos portões externos. Um matagal de pinheiros cercava a herdade, e eu conseguia ter apenas vislumbres da casa através de brechas nas árvores. Mas isso mudou quando um dia a esposa dele, Lillian, convidou as crianças das famílias que trabalhavam em suas terras para uma festa de Natal.

Cristãos ou não, nós todos celebrávamos o Natal. Na véspera de Natal, crianças e jovens homens e mulheres moviam-se de casa em casa, no escuro, com lampiões portáteis de parafina protegidos por vidro, entoando cânticos. No dia em si, não se esperava por um convite especial para tomar chá e comer *parathas* caseiras na casa de um vizinho. Todas as casas, exceto as que, como a de Kahahu, se consideravam modernas, ficavam abertas a visitantes de passagem. A maioria das casas fazia pratos similares: uma mistura de caldo de curry com batatas e feijões ou ervilhas. Não era uma questão de poder escolher. Sempre que as famílias tinham dinheiro para comprar, acrescentavam frango, carne de vaca ou de cordeiro no curry. A maioria das casas não podia comprar pão assado das lojas indianas. Mas todas as famílias eram especialistas em fazer *parathas*. Alguns quilos de farinha de trigo faziam render grande número desses pães achatados. Empanturrávamo-nos deles, e eu sempre associei o Natal a *parathas* e curry. Era para todos igualmente uma temporada festiva; não havia festas especiais para as crianças. Portanto, ser convidado para uma festa de Natal infantil, além de tudo na misteriosa casa do senhorio, era uma novidade em nossas vidas. Tentamos aparentar o melhor possível. Isso aconteceu anos antes de eu mesmo ter sonhado em frequentar a escola e usar bermudas e camisas. Meu irmão caçula e eu ainda trajávamos nosso vestuário de pano, mas nossa Mãe garantiu que estivéssemos asseados.

Permanecemos trocando olhares, e nos compactuamos ao observar a cena diante de nós. Tudo era uma revelação. Eis ali aquele enorme terreno coberto de relva que havia sido cortada e aparada baixo com belos caminhos bem definidos que ligavam as várias construções, em contraste com o nosso terreno de areia e poeira.

A casa principal era uma construção com quatro cantos com paredes de madeira espessa e um teto de ferro corrugado com tubos de drenagem que davam em dois tanques que coletavam água da chuva nos cantos. À parte do prédio principal ficava a cozinha, construída de maneira similar, mas menor, com água sendo drenada para um tanque menor. Decepcionei-me um pouco porque a festa ocorreu na cozinha, por mais espaçosa que fosse, e não na casa grande; contudo, a pilha de sanduíches de geleia nas enormes vasilhas compensou quaisquer defeitos na localização.

Pensei que após as longas boas-vindas preliminares e o discurso sobre o significado do Natal nos serviriam imediatamente o chá e os reluzentes sanduíches de pão branco. Em vez disso, nos pediram que fechássemos nossos olhos para fazer a prece. Meu irmão e eu nunca havíamos feito preces, que dirá uma prece para a comida. A comida estava lá para que se comesse, não para que se rezasse por ela. E por que fechar nossos olhos? Lillian principiou o que para mim soou como um interminável monólogo com Deus. No meio dele abri meus olhos para espiar a pilha de sanduíches. Encontrei os olhos do meu irmão fazendo o mesmo. Rapidamente fechei os meus, mas após um tempo os abri de novo, apenas para pegar meu irmão fazendo o mesmo. Sabíamos exatamente o que o outro estava pensando sobre a interminável prece que se interpunha entre nós e a comida. Não conseguimos evitar. Rimos alto. Lillian não parecia se divertir.

Seus olhos ficaram frios, sua entonação, enregelada, à medida que agora passava um duro sermão sobre a etiqueta cristã em meu irmão e em mim. Os filhos dela haviam sido educados nos modos cristãos, e eles nunca teriam feito o que nós fizéramos diante dos olhos de Deus, e caso eles tivessem, ela não lhes teria permitido comer o pão ou qualquer comida durante dias. Mas ela nos perdoaria porque, sendo pagãos, não sabíamos como nos comportar. Todos os olhos das crianças, incluindo os de Njambi e Njimi, estavam sobre nós. O desejo pelo pão desapareceu. Humilhado, levantei-me e fui embora. Meu irmão me seguiu, mas não sem antes apanharmos um par de sanduíches.

Eu não conseguia encontrar consolo ficando furioso com Lillian, porque lá no fundo eu estava envergonhado de nosso comportamento. Anticristão ou não, o que meu irmão e eu havíamos feito era impróprio. Ademais, eu ainda carregava a memória da generosa intervenção de Lorde Kahahu na cura de minha infecção ocular. Minha mãe sustentava uma opinião semelhante. Enquanto nos censurava por nosso mau comportamento, deixou claro que nada tinha a ver com o fato de que o que havíamos feito era anticristão. Ela também parecia fazer distinção entre Lillian e o marido, e me encorajou a esquecer a ofensiva frase "não foram criados nos modos cristãos". Mas as palavras não queriam ir embora. Estavam gravadas em minha mente, e eu viria a ouvi-las de novo após um conflito entre Kahahu e Baba Mūkūrū.

A casa de Baba Mūkūrū era antagônica à de Kahahu. Era tão confiante nos modos de seus ancestrais quanto Kahahu o era nos modos de seus ancestrais cristãos. Para Baba Mūkūrū, a tradição era sacrossanta. Ele e os filhos observavam todos os ritos de passagem, não apenas iniciações de uma fase da vida para outra como também formas de educação social. Foi nessa casa que eu uma vez testemunhei a cerimônia de renascimento.

Nyakanini, a "Pequenina", como era carinhosamente conhecida, foi a última das meninas a nascer da segunda esposa de Baba Mūkūrū, Mbūthū. Era muito mais nova que eu. Aos seis anos de idade ou perto disso, fizeram-na deitar entre as pernas da mãe em posição fetal. Entre canções entoadas por um coro de mulheres em semicírculo, Mbūthū reencenava a gravidez e o trabalho de parto. Os membros do coro também eram testemunhas participantes. Algumas delas representavam parteiras e traziam Nyakanini ao mundo pela segunda vez. O Gĩtiro era uma forma poética e operística de improvisações, chamadas-e-respostas, narração de conflitos e reconciliações. Baba Mūkūrū verteu uma libação aos espíritos ancestrais para que pudessem estar com os vivos e com aquela que acabara de renascer. A mãe de Nyakanini, Mbūthū, representou o nutrimento da recém-nascida. De novo, através de canções e danças, vimos a criança crescer da primeira infância até a puberdade. Ainda no modo performático, Nyakanini literalmente seguiu a mãe até os campos, onde trabalharam juntas colhendo verduras e escavando batatas. O coro não foi com elas, mas quando mãe e filha retornaram com a safra simbólica, foram recebidas com ululação. Embora a comida tivesse de fato sido cozida, elas reencenaram simbolicamente o preparo daquilo que haviam trazido dos campos. Nyakanini fez tudo que sua mãe fazia, mas foi ela quem iniciou a partilha do que já havia sido cozido, dando um bocado a mãe e ao coro, sugerindo assim que ela tivera sucesso em passar da primeira infância ao próximo estágio da juventude. Caso fosse um garoto, ele teria seguido seu pai aos campos de pastagem e trazido de volta um pouco de leite. Ao fim do ritual, Nyakanini era uma criança beirando a maioridade, estágio no qual ela seria submetida aos ritos iniciáticos da circuncisão. Finalmente, um banquete celebrou a jovem garota que ela se tornara, depois de ter nascido de novo.

Para Baba Mūkūrū isso era a educação que bastava, e ele não permitia que nenhum de seus filhos frequentasse a escola missionária, que dirá frequentar os serviços da igreja, embora, ironicamente, uma de suas filhas com a primeira esposa tenha se casado com um Mūgīkūyū muçulmano convertido, e ele havia perdido um filho na Segunda Guerra Mundial, a mais moderna de todas as guerras. Outra de suas filhas, apelidada Macani, "Folhas de Chá", que não frequentara a escola, adotou o que havia de mais atual em vestidos de estilo ocidental; ela era um dos poucos que conseguiam confrontá-lo abertamente sem sofrer repercussões ruins. Mas àquela altura a mãe dela e Baba Mūkūrū haviam se separado.

Ele nunca quisera ter nada a ver com os Kahahu, que, aos seus olhos, representavam toda negação, toda traição da tradição. Até mesmo quando algumas de suas filhas, cuja beleza era assunto de conversa dos rapazes, trabalharam na plantação de píretro do Lorde Reverendo Kahahu, elas o fizeram secretamente. Ele teria preferido que elas trabalhassem em plantações de chá de propriedade de europeus a que trabalhassem nos campos de um renegado.

Infelizmente para ele, uma paixão do tipo Romeu e Julieta estava se desenvolvendo entre uma de suas filhas, Wambūi, e o filho mais velho de Kahahu, Paul. Tal como o pai anteriormente, Paul se graduara em Mambere, uma escola primária da Igreja Missionária Escocesa em Thogoto, Kikuyu, e trabalhara como professor em Kamandūra. Ele e Wambūi tiveram uma ligação secreta, que foi revelada pela gravidez. Baba Mūkūrū seguiu o costume e enviou uma delegação de anciãos à casa de Kahahu para examinar o assunto. Os Kahahu não queriam recebê-los: Nosso filho foi criado como cristão e nunca faria tal coisa, teria dito Lillian. Por que, perguntou Lillian com sarcasmo mordaz, vocês são pessoas incapazes de criar os próprios filhos da forma como criamos os nossos? Baba Mūkūrū ficou ofendido, furioso com a família Kahahu por apoiar o filho em sua recusa de responsabilidade, e jurou levar adiante o assunto mesmo que isso significasse protestar do lado de fora da porta de toda igreja onde o reverendo Kahahu pregasse aos domingos e onde o filho lecionasse nos dias de semana. Mas antes que Baba Mūkūrū pudesse cumprir suas ameaças, a família Kahahu enviou Paul a uma escola na África do Sul. O assunto não foi resolvido, exceto que a garota que Wambūi deu à luz se parecia exatamente com Paul Kahahu. Essa belíssima garotinha que uniu as duas famílias foi rejeitada pelos chefes de ambas. A fuga de Paul para a África do Sul, no entanto, teve o efeito não premeditado de dramatizar em nossa região a instrução no estrangeiro como sendo desejável e acessível. Também aproximou a África do Sul da nossa casa e engrandeceu a modernidade dos Kahahu.

Uma vez que meu pai permanecia alheado dos rituais tanto da tradição quanto da cristandade, considerando-se moderno, ele era igualmente altivo perante Baba Mūkūrū e Lorde Reverendo Stanley. Seu comportamento com o irmão pode ter sido condicionado por ele ter ficado ombro a ombro com uma pessoa branca na cidade grande, tendo trabalhado como seu criado. Quanto a Kahahu, meu pai sempre se considerou o legítimo dono da terra que Kahahu habitava, portanto na pregação do reverendo meu pai via hipocrisia. Nem mesmo a notícia de que Paul Kahahu iria para a África do Sul perturbou meu pai, que, apesar de não adotar ativamente a educação, podia se gabar de um filho seu, ex-militar, ter estado no estrangeiro e voltado instruído.

Com o Lorde Reverendo Kahahu eu aprendi a venerar a modernidade; com Baba Mūkūrū, os valores da tradição; e com meu pai, um saudável ceticismo acerca de ambos. Mas os aspectos performáticos tanto da cristandade quanto da tradição sempre me encantaram.

12

Meu pai era conhecido em toda a região por possuir *mūratina* de qualidade, um vinho caseiro feito a partir de uma mistura da mais pura cana-de-açúcar, que ele mesmo plantava, do mais rico mel e da mais fina levedura natural, armazenado em cabaças belamente talhadas e moldadas. Mas ele desenvolvera uma disciplina notável em relação a como usava seu tempo. Ele nunca bebia em dias úteis. Os que eram convidados a tomar vinho em sua casa num fim de semana tinham que mostrar respeito por suas esposas e filhos. Caso se portassem mal, ele os mandava embora. Patriarca venerado, não obstante reconhecia que suas esposas chefiavam seus respectivos lares.

Em minha cabeça, o patriarcado de meu pai fundava-se em duas fases distintas. Eu tinha uma vaga recordação infantil de seu curral, um espaço fechado por uma cerca de madeira e uma sebe viva de arbustos espinhentos, parte da herdade: imagens dele voltando para casa nas noites conduzindo seu enorme rebanho de vacas até o vasto curral, às vezes auxiliado pelos filhos mais velhos ou por uma de suas esposas, e depois, após guardar o rebanho lá dentro, indo para a sua *thingira*, equidistante das cabanas de suas quatro esposas. Ele cuidava para não mostrar preferência por nenhuma das cabanas de suas esposas. Quando as mulheres lhe levavam comida, ele nos convidava, as crianças, para dividi-la. Desfrutávamos de um banquete diário. Ele não era um grande contador de histórias mas tinha muita disposição para nos ensinar bons hábitos alimentares, tais como não morder mais do que podíamos mastigar e não engolir o que havia sido apenas mastigado apressadamente. Não se apressem, a comida não está indo a lugar algum. Às vezes seus colegas anciãos vinham visitá-lo, para deliberar as questões do momento. Meu pai tinha um dos melhores sorrisos que já vi, mas sua risada também podia soar irônica ou sinistra às vezes, quando reagia a questões que desaprovava.

Embora nunca me tenha ficado claro como essa transição ocorreu, a segunda fase seguiu-se à expulsão de meu pai dos campos no entorno da herdade, porque agora sua cabana era raramente ocupada, e nós não mais dividíamos refeições com ele. As mulheres ainda lhe levavam comida diariamente, mas até os limites da floresta de eucalipto-azul e árvores de eucalipto de minha avó materna, não muito longe das lojas africanas do mercado de Limuru. Uma nova *thingira* foi construída próxima de sua propriedade, a uma bela distância da velha herdade. Ele vinha para casa principalmente aos sábados ou domingos quando tinha *mūratina* para partilhar com seus amigos. Caso ele pernoitasse, dormia na cabana de uma das mulheres.

Eu sempre queria ajudar no pastoreio, tal como alguns dos garotos mais velhos, mas ele nunca me pedia. Certa vez, muito antes de começar na escola, eu havia acompanhado um dos garotos, meu meio-irmão Njinjū wa Njeri, até a nova residência de meu pai. Os indianos queimavam seus mortos entre os eucaliptos e eucaliptos-azuis. Minha mãe dizia que, se você se postasse no alto do aterro, conseguiria ver fantasmas indianos andando por lá, segurando uma luz. Você já viu os espíritos com seus próprios olhos? Sim, dizia ela, e descrevia como em algumas noites ela vira a luzinha se mover para lá e para cá no breu. Pressionada a dar mais detalhes, por exemplo, se havia de fato visto o corpo dos espíritos, ela encerrava o assunto, ligeiramente irritada por estarmos questionando a veracidade do relato de uma testemunha ocular. Ela falava com total convicção, como se estivesse descrevendo um encontro no mercado. Posso não ter acreditado nela, mas ainda estava um pouco assustado com o local. Os terrenos eram vastos; as árvores, altas; o mato rasteiro, denso em alguns lugares, e presumi que o estranho perfume que emanava das árvores e do mato era realmente o da carne queimada dos indianos mortos. O gado e as cabras perambulavam por toda parte, mas principalmente pelas fronteiras mais distantes da floresta, onde havia longos trechos sem árvores. Após um dia de mercado, meu meio-irmão permitia que os rebanhos perambulassem pelo mercado africano e às vezes os deixava comer a grama alta dos quintais das lojas. Os donos não se importavam, porque isso os livrava de ter que apará-la rente. Transpondo a floresta, próximo do novo curral de meu pai, havia um caminho que levava à estação ferroviária e ao mercado de Limuru. Meu meio-irmão parava algumas das garotas que passavam e conversava com elas, pedindo-lhes que "dessem para o meu irmão", apontando para mim, jurando que eu sabia muito bem como fazer. As moças sorriam e iam embora, ou o xingavam. Eu não entendia o que ele queria dizer com aquelas palavras, nem a resposta das moças. Fosse o que fosse, sentia-me bem apenas por poder passear ou me aventurar floresta adentro, não exatamente me preocupando com o paradeiro das cabras e vacas, exceto de noite, quando as reuníamos e as conduzíamos de volta ao curral e fechávamos os portões. Quando crescer, pensei, pedirei ao meu pai para me deixar ser seu pastor ajudante regular, de modo que eu possa aprender a ordenhar as vacas da maneira como meu meio-irmão fazia, e falar com as garotas da maneira como ele fazia.

Mas nunca tive a oportunidade, não só porque ingressei na escola, mas porque um desastre sobreveio. As cabras e vacas de meu pai contraíram uma estranha enfermidade. Suas barrigas estufaram, e seguiram-se diarreia e morte. O conhecimento médico tradicional não foi páreo para a doença. Não havia serviços veterinários para fazendeiros africanos na época. Seus animais morreram um por um. Circularam rumores de que suas cabras e vacas haviam uma vez se desgarrado até o quintal de alguma loja de chá no mercado africano e comido algumas das roupas que secavam num varal e bebido a água limpa das vasilhas. O dono irado, por vingança, teria depois envenenado a relva e a água.

Fosse qual fosse a explicação, o desastre que sucedeu a meu pai foi longamente citado em discussões entre os partidários de se guardar dinheiro em bancos e os que acreditavam que a pecuária era a única medida real de riqueza. Um fato eles não podiam contestar: o homem que possuía tudo agora perdera tudo.

13

A perda da riqueza devastou meu pai. O patriarca orgulhoso, alheado, que sempre deixou cada esposa cuidar de sua respectiva casa da maneira que julgasse adequada, agora tentava gerenciar nos detalhes a herdade inteira, chegando mesmo a questionar as idas e vindas das filhas, dizendo em voz alta que ele não queria que nenhuma delas acabasse tomando o mesmo rumo que a filha de Baba Mūkūrū. Sua interferência piorou depois que ele abandonou sua *thingira* próxima ao curral vazio e se transferiu para a casa de Njeri, a esposa mais jovem, ao mesmo tempo insistindo que as outras esposas lhe levassem sua comida lá. Isso desconcertou o delicado equilíbrio de poder que as mulheres haviam construído entre si. Quando ele tentou amenizar a consequente tensão surgida entre elas, apenas piorou-a.

Embora todos nós temêssemos nosso pai, nenhuma vez o vi bater numa criança. Pelo contrário, era muito rigoroso quanto a mães batendo nas crianças; ele desencorajava isso, uma atitude muito incomum naqueles tempos. Também incomum era ele raramente bater nas suas esposas, ainda que lhes exigisse respeito e que sua palavra fosse lei. Agora, ele passara a se envolver em violência doméstica, particularmente contra minha mãe. A única mulher em quem ele não tocava era Njeri. Ela tinha membros grandes, corpo robusto, e conta-se que uma vez, quando bêbado, ele tentou discipliná-la, mas, estando ele no interior da cabana, ela teria trancado a porta por dentro para impedir quaisquer testemunhas oculares e espancado-o, enquanto gritava, alto o suficiente para que todo mundo ouvisse, que ele a estava matando. Essa era uma dentre as muitas histórias que agora eram difundidas para mostrar a quão baixo ele chegara.

O orgulhoso patriarca que nunca teria ido à casa de alguém para beber aguardente a não ser que fosse convidado, o homem que nunca teria bebido num dia útil, agora começou a beber o tempo todo, e, deixando de fermentar a própria *mūratina*, passou a ir bebê-la na casa dos outros. Meu pai odiava aqueles maridos que emboscavam as esposas na volta do mercado para pegar uma parte do que elas haviam ganhado com as vendas. Mas agora ele havia começado a fazer justamente isso. Era doloroso vê-lo esperar o final da semana para exigir os ordenados que suas filhas, minhas irmãs, haviam recebido por trabalhar nos campos de píretro de Lorde Stanley Kahahu ou nas plantações de chá das Terras Brancas. Elas se esquivavam dele; algumas, aliás, escaparam casando-se.

Ele arriscou-se na lavoura, mas, uma vez que não tinha terra própria, ainda dependia dos direitos de cultivo de seu sogro, meu avô materno. Antes de perder tudo, ele costumava plantar mudas de batata-doce, araruta, cana-de-açúcar e inhame, numa porção de terra perto das lojas indianas, porém mais como um passatempo do que como subsistência. Tinha muito orgulho da qualidade daquilo que ele produzia. Seu jardim era exemplar. Mas agora o cultivo de subsistência era o que restara. À medida que lutava para ganhar seu sustento a partir da terra, a percepção que tinha de sua virilidade e de sua posição pública ficava comprometida.

Por melhor que fosse com as mãos no trabalho com a terra, ele estava competindo com suas mulheres, com minha mãe particularmente. Sua porção de terra ficava próxima à dela, e era como se a brincadeira do namoro entre eles houvesse agora se transformado numa séria competição por poder. Mas quando se tratava de persuadir a terra a produzir, nem meu pai, nem as outras mulheres, ninguém era páreo para a minha mãe. Ela cobria as mudas com folhas; mesmo com as cabras minha mãe agora levava vantagem sobre meu pai. Ele não tinha nenhuma; ela tinha dois bodes, que engordavam numa baia dentro de sua cabana. Possuía três outros que às vezes alimentava na cabana, mas que de outra maneira costumavam acompanhá-la aonde quer que fosse durante o dia, sem se desgarrar.

O ano em que ela voltou da breve visita a Elburgon com meu irmão caçula viu seu trabalho milagroso na terra. Enquanto as safras das outras pessoas pareciam estiolar debaixo do sol, as dela floresciam. As pessoas às vezes paravam na estrada para admirar as ervilhas, feijões e milho que havia nas suas variadas porções de terra. No fim da estação, minha mãe havia colhido simplesmente a melhor safra de ervilhas e feijões da região. Milho, igualmente. As outras mulheres ofereceram-se para ajudá-la a colher e debulhar, enchendo dez sacos com ervilhas, quatro com feijões, e o celeiro dela com milho, um feito que trouxe pessoas embasbacadas das redondezas.

Meu pai decidiu que podia dispor da colheita, até mesmo vendê-la. Minha mãe, acostumada à independência de sua casa, opôs-se firmemente. Um dia ele voltou para casa, arrumou briga com ela e começou a espancá-la, usando inclusive uma das muletas que minha meia-irmã Wabia usava para se apoiar, até quebrá-la em pedaços. Meu irmão e eu gritamos para que ele parasse. Minha mãe berrava de dor. Apesar do medo, as outras mulheres tentaram contê-lo, suplicando que parasse, berrando em solidariedade, para que todo mundo ouvisse, que o marido delas enlouquecera. Quando ele se voltou contra elas enfurecido, minha mãe conseguiu escapar apenas com as roupas do corpo e fugiu para a casa de seu pai, meu avô, abandonando suas cabras e a colheita.

Por muitos dias seguidos a família falou sobre o espancamento, e alguns até alegaram que as cabras haviam berrado como forma de protesto. Ninguém parecia completamente capaz de explicar a fúria que meu pai demonstrava. Mas havia cochichos aqui e ali segundo os quais a causa tinha sido a esposa mais jovem, Njeri, a única que trabalhava nas plantações de chá de propriedade de europeus. Ela estava tendo um caso com um dos capatazes. As mulheres disseram que, de alguma forma, meu pai pusera na cabeça que minha mãe era a culpada. Cogitaram que, já que Njeri havia brigado com ele uma vez, ele voltara sua raiva e frustrações contra o alvo mais fácil.

Com a partida de minha mãe, as outras esposas, Gacoki e Wangarĩ em especial, tomaram conta do meu irmão e de mim. Esperamos que ela voltasse ou que meu pai fosse ter com os sogros para pleitear com eles o retorno dela. Este era o procedimento: conversas que quase certamente acabavam em advertências, punições e reconciliação. Todos sabiam que era meramente uma questão de tempo. Mas meu irmão caçula e eu sentíamos terrivelmente a falta dela, e essa partilha de uma perda em comum e de carência nos aproximou ainda mais.

Meu irmão caçula costumava falar sobre sua viagem de trem. Enumerava com ênfase especial as estações pelas quais havia passado, Naivasha, Gilgil, Nakuru, Molo, ao menos aquelas de que conseguia se lembrar. Ele inclusive alegava que Kisumu e Kampala eram muito próximas de Elburgon, e que teria ido lá, não fosse por sua vida ocupada em Elburgon, brincando com a Vovó e a Titia Wanjirũ e sua filha, nossa prima Beatrice. Com ele tomei conhecimento de que Titia Wanjirũ, uma comerciante, era uma mãe solteira. Ele falava sobre a ternura da Vovó, embora sem dar muitos detalhes. Eu não estava muito disposto a ouvir sua narrativa, e rebatia seus triunfos falando sobre meus gloriosos dias na escola, um assunto que ele também não estava agora muito disposto a ouvir. Nossa contenda não mencionada tornou-se um duelo não declarado; ele exagerava suas façanhas em Elburgon, e eu, minhas aventuras educacionais na escola. Mas ele sempre levava a melhor sobre mim quando me lembrava que a Mãe havia prometido vender uma parte de sua colheita para pagar a mensalidade a fim de que ele retomasse sua aprendizagem no começo de um novo período. Ele teria tanto a aprendizagem quanto a experiência de ter andado no trem. Ainda que estivesse com inveja de sua viagem, eu também estava feliz por ele afinal ir se juntar a mim na escola. Mas conforme os dias iam e vinham, nós ficávamos cada vez mais ansiosos pelo retorno da Mãe, nossa crescente ansiedade mitigada somente pela rotina diária de vida social na herdade de nosso pai.

Um dia, meu irmão e eu brincávamos com nossos irmãos num espaço aberto entre as terras de Kahahu e Baba Mūkūrū com uma bola feita de pano e amarrada bem apertado com uma corda. Até mesmo as garotas participaram. Meu pai surgiu de repente. Parou a determinada distância e acenou para que meu irmão e eu o acompanhássemos. Meu pai nunca antes me chamara até ele, que dirá caminhar até um campo fora de nossa herdade para fazê-lo. Corremos até ele, certos de que iria nos dar notícias sobre o retorno de nossa mãe.

Quero que vocês parem de brincar com meus filhos. Vai, sigam a mãe de vocês, disse ele, apontando genericamente na direção da casa de nosso avô.

Não tivemos a oportunidade de dizer adeus às outras crianças e lhes dizer que fôramos banidos de sua companhia e do lugar que até então havia determinado nossas vidas. Mas antes de deixar a casa, consegui disparar até a cabana de minha mãe para recuperar meu material escolar, no meio do qual estava meu amado e gasto exemplar de histórias do Velho Testamento.

14

Ainda que não fosse a expulsão do paraíso, era a expulsão do único lugar que eu conhecia. Mais que triste, fiquei desorientado. Minha mãe sempre fora a chefe da família imediata, portanto meu lar seria sempre onde quer que ela estivesse, e nesse sentido eu fui encaminhado para meu lar com minha Mãe. Mas não é uma coisa boa ver o próprio pai renegá-lo como um de seus filhos. A decisão aprofundou a percepção que eu tinha de mim mesmo como um forasteiro, um sentimento que vinha nutrindo desde que soube que a terra na qual ficava nossa herdade não era de fato nossa. Eu fora um forasteiro em Kamandūra, à qual parecia que os outros pertenciam mais do que eu, e em Manguo, depois de ser transferido para lá. Agora era um forasteiro na casa de meu pai. Mas há aspectos da velha herdade que sempre serão parte de mim: as sessões de narração de histórias, a interação diária com as outras crianças, nas quais as alianças mudavam de tempos em tempos; até mesmo as brigas e lágrimas. Algumas das cenas sobrevoavam minha mente: os jogos que jogávamos, as canções que cantávamos e as danças no pátio dando boas-vindas à chuva, pois ela significava bênçãos e fazia as crianças crescerem. Ao avistar as gotas de chuva, disparávamos até o pátio e formávamos um círculo:

Chuva, pode cair
Te ofereço um sacrifício
Um novilho com sinos
Que soam dim-dom

Uma vez, uma porção de crianças, incluindo minhas meias-irmãs e meios-irmãos — Wanja, filha de Gacoki; Gacungwa, filha de Wangarĩ; e Gakuha e Wanjirũ, filho e filha de Njeri —, e eu brincávamos de pega-pega. Eu estava correndo em volta de cada uma das quatro cabanas, todos me perseguiam, quando subitamente tropecei em algo e caí. A areia esfolou a pele do meu ombro esquerdo. A cicatriz permaneceu; sempre estará lá, uma memória. Agora, banido por meu pai de minha família mais ampla, eu tinha sorte de ter meu irmão caçula e o livro de histórias por companheiros e o consolo do reencontro com minha mãe em sua casa paterna, seu local de nascimento.

Eu conhecera meu avô materno, mas só brevemente. Dada a ausência da mãe dela, que vivia em Elburgon, enquanto o pai vivia em Limuru com Mũkami, sua esposa mais jovem, minha mãe pode não ter sentido a necessidade de fazer visitas frequentes. Quanto às crianças, nossa identidade era sempre relacionada à família de nosso pai, e não à de nossa mãe, mesmo quando alguém recebia um nome em homenagem a um parente do lado materno. Fui chamado de Ngũgĩ em homenagem ao meu avô materno. Mas minha mãe costumava me chamar de Njogu, "Elefante", ou no diminutivo Mũkũgĩ, ou "Pequeno Avozinho". As outras mulheres, particularmente as coesposas dele, sempre se referiam a ela como "a filha de Ngũgĩ".

Meu avô era uma figura imponente, vestido numa roupa de baixo branca, um lado debaixo do seu braço esquerdo, as extremidades pregadas sobre seu ombro direito, uma espécie de túnica de uma só manga, e numa roupa de cima igualmente comprida, um tipo de manta, debaixo do braço direito e amarrada por cima do ombro esquerdo. Como Limuru estava sempre fria e chuvosa, particularmente em julho, ele às vezes usava um comprido casaco sobre ambas as roupas. Ele era um grande proprietário de terras por direitos próprios, e, como chefe e depositário de todo o seu subclã Kamami, tinha flexibilidade quanto aos direitos de uso do extenso patrimônio do clã. Ao contrário de meu pai, cujos antepassados não tinham raízes em Limuru, meu avô, sua família expandida e seu subclã inteiro tinham, possuindo e controlando acres de terras cultivadas e terras virgens. Depois da morte de um de seus primos, ele herdara duas viúvas, sendo portanto também o chefe titular da família Ndũng'ũ. As crianças de Ndũng'ũ, incluindo Kĩmũchũ, o mais velho, aceitaram e o respeitaram como chefe da família expandida. Com Njango, a mais nova das duas viúvas, ele gerara um filho, o Tio Gĩcini. Toda a teia de interconexões familiares era um pouco complicada, e não tenho certeza de que eu tinha capacidade de compreender todas as nuanças. A família vivia em três terrenos diferentes na mesma área.

Tendo se separado de sua primeira esposa, a Avó Gathoni, o Vovô Ngũgĩ pode ter se perguntado se eles haviam passado o germe da separação à filha, e estava provavelmente perdido quanto ao que fazer após minha mãe ter deixado meu pai. O costume exigia que ele aguardasse o marido requerer o retorno da esposa, o que abriria a porta para discussões. Minha mãe hospedou-se na cabana de Njango, o que todos assumiram como um arranjo temporário. A nossa chegada, minha e de meu irmão, complicou a questão.

Meu pai pode ter pensado que nossa presença exerceria pressão para que ela regressasse e ele requeresse a paz em seus próprios termos, mas nossa aparição pode de fato ter tornado mais fácil para ela aferrar-se à decisão de não retornar à violência doméstica. Sem nós lá, ela teria achado difícil permanecer distante. Agora ela queria que o pai a autorizasse a levantar uma cabana própria na terra dele. Ele foi prudente. Sendo versado nos modos das leis e práticas consuetudinárias,

SONHOS EM TEMPO DE GUERRA **101**

quis aguardar meu pai enviar uma delegação para as conversas formais. Afinal de contas, ela fora casada legalmente, meu pai pagara o dote exigido, e o divórcio significaria que meu avô teria que devolver o dote: cabras. Ademais, a comunidade não tinha jurisprudência quanto ao divórcio de um casal com crianças crescidas, como eram meus irmãos e irmãs mais velhos. O divórcio não era uma opção, só a separação era. Minha mãe, portanto, viveu num limbo, apartada da casa do marido e não exatamente aceita na do pai. Ela, que sempre desfrutara de independência, agora se sentia como um animal encurralado, forçada a viver numa cabana apinhada, dividindo uma cozinha comum sem ter nenhum utensílio que pudesse chamar de seu, e sem comida própria, porque sua colheita lhe havia sido tomada.

Tento arranjar formas de ajudá-la, mas na verdade estou mais preocupado com minha instrução. Invento um esquema para negociar materiais escolares: lápis e quadros-negros e livros de exercícios. Meu irmão caçula acha que sou um gênio. Eu me aproximo então do Tio Gĩcini. Gĩcini é apenas um par de anos mais velho que eu, e na verdade não o chamo de tio. Meus outros tios, Gĩkonyo e Mũthoga, são mais velhos, têm famílias, e eu sempre assumi que "tio" é um termo que as crianças usam para reverenciar os que são mais velhos do que eles. Mas Gĩcini e eu até frequentamos a mesma escola, Kamandũra, embora ele estivesse algumas aulas à frente, então o considero mais como um igual do que como um tio. Ele se anima com a ideia, que agora se torna um sonho conjunto: comprar lápis e borrachas das lojas indianas e depois vendê-los a crianças da escola por um preço mais alto. Passamos a calcular o dinheiro que faríamos reinvestindo continuamente o lucro em mais produtos. Logo já estamos ricos, em nossas cabeças, e isso nos incita a realizar nossos planos. Na floresta de meu avô, derrubamos árvores para criar quatro postes de sustentação e varetas finas para fazer as vigas. A princípio é um segredo, conhecido apenas por Gĩcini e meu irmão caçula, Njinjũ. Mas nosso entusiasmo não conhece limites, e aludimos às nossas riquezas diante do irmão de Gĩcini. Ele não ri da ideia. Em vez disso, nos conta a história de um homem pobre cuja galinha pôs dois ovos. Ele tinha fome mas se conteve, pegou-os com uma tigela, sentou-se numa cadeira e fechou os olhos para planejar o que fazer com eles. Ele os levaria ao mercado, pensou consigo, ainda recostado em sua cadeira, a tigela no chão. Com o dinheiro, compraria mais alguns ovos e os venderia com lucro, comprando mais alguns até que reunisse um montante. Ele reinvestiria todo o dinheiro na compra e venda de outras coisas, novamente com lucro. Em breve, na sua cabeça, acabaria comprando uma casa e se casando. Ele e a mulher viviam felizes, até que um dia tiveram uma pequena contenda e sua mulher lhe retrucou. Ficou tão furioso com a suposta ingratidão dela que acabou chutando-a. Atingiu a tigela, e os ovos agora eram só gema e cascas partidas. Parem de sonhar acordados. Quantos lápis é provável que vocês vendam? Quantas crianças nas redondezas frequentam a escola? Por que alguém deixaria de comprar barato nas lojas indianas só para percorrer todo o caminho até um lugar abandonado e comprar as mesmas coisas mais caro? Ele esvaziou nossos sonhos de riquezas fáceis. A estrutura de quatro postes e algumas vigas permanece lá por muitos meses, um desamparado monumento a um sonho.

O Tio Gĩcini se sente culpado por nosso esquema arruinado. Tenta me acalmar, oferecendo-se para me ensinar como caçar toupeiras. As toupeiras são um flagelo aos fazendeiros. Comem raízes de plantas, e após um instante é possível ver os montículos de terra que fazem e a devastação. A toupeira é um inimigo invisível porque se desloca subterraneamente. Como se pode capturar tal criatura? Simples, me diz ele. Com uma armadilha: um pedaço de pau, oco por dentro, e três cordas, duas sendo laços em ambas as extremidades e, no meio, contendo a isca, firme. Cave uma fossa e ponha a armadilha no caminho da toupeira, cubra com terra e depois amarre as cordas num graveto elástico dobrado na terra e posto por cima.

Assim que a toupeira entrar no laço para comer a isca no meio, o graveto se estica e o laço aperta em volta da toupeira. Não acredito nele, mas tentamos mesmo assim. Fazemos duas armadilhas, uma é minha. A dele falha. A minha pega uma toupeira na primeira tentativa. Notícias de minha habilidade se alastram. Torno-me um caçador de toupeiras profissional, cobro uma taxa e ganho a gratidão dos fazendeiros. Posso até me tornar um herói, tal qual o lendário caçador de ratos da aldeia.

Houve um período, durante nossa vida na herdade de nosso pai, em que grandes ratos gordos, quase do tamanho de um gato, invadiram a aldeia. Dizia-se que transmitiam a praga, portanto sempre que um tal rato era avistado, as mulheres, os homens e as crianças, com varas, o perseguiam. O rumor às vezes atraía trabalhadores dos campos, que se juntavam à perseguição com quaisquer ferramentas que tivessem na mão. Pegos, os ratos tornavam-se objetos de fúria. Uns poucos escapavam. Um em particular desbancava os caçadores, as armadilhas, tudo. Até mesmo os gatos pareciam temê-lo. Desaparecia dentro de uma casa ou arbusto, apenas para ressurgir em outro cenário, como se provocasse os humanos. Ou talvez houvesse inúmeros ratos, de aparência similar. Ouvia-se dizer que havia bruxas dentro do corpo do rato.

Um dia, um homem com uma caixa com alçapão, toda feita de tela de arame, apareceu do nada. Ele ouvira falar do misterioso rato. Fez algumas perguntas, e afora isso pronunciou poucas palavras. Pendurou algo dentro da caixa. Deixou a armadilha numa das casas afetadas, e eis que, no dia seguinte, quando ele voltou, havia um grande rato dentro da caixa. Toda a aldeia seguiu o caçador de ratos, que desapareceu tão misteriosamente quanto aparecera. Ele não pediu uma recompensa. Nunca retornou; e os ratos, daquele tamanho, não reapareceram. Ou assim alegavam as pessoas. A discórdia continuou: Havia mesmo só aquele rato ou eram muitos? O caçador de ratos tornou-se uma lenda.

Tenho esperança de que, como caçador de toupeiras, eu possa ficar igualmente famoso e ter uma aldeia agradecida me seguindo. Mas um caçador de toupeiras não é tão charmoso quanto um caçador de ratos, e ninguém me segue exceto meu irmão caçula. Toupeiras conseguem ser fugidias. Um caçador precisa de uma combinação de habilidade, paciência e sorte. A espera é estressante; a recompensa, minguada, e não dissipa nossas necessidades.

Há especialmente a questão do ensino. Meu irmão e eu nos lançamos a fazer o que sempre fizemos: buscar trabalho na fazenda de Lorde Stanley Kahahu, mas agora para pagar nossa mensalidade, não as rodas. As propriedades de Kahahu e a de meu avô são separadas por uma sebe viva. Vastos campos de píretro interpõem-se entre nosso novo lar e nossa antiga herdade. Sinto-me estranho reunindo-me com meus irmãos nesses mesmos campos, agora que venho da casa de meu avô. Mas o reencontro com meus outros irmãos, embora apenas enquanto trabalhadores nos campos de Kahahu, corre muito bem, exceto por um pesaroso constrangimento na parte da tarde, quando temos que nos separar e tomar cada um nosso caminho. Nossos proventos não são muitos. Ademais, o trabalho dura enquanto há flores para colher, o que significa aproximadamente sete dias.

Às vezes acompanho minha mãe quando ela vai às lojas indianas em busca de trabalho. Talvez eu também consiga algo que pague mais do que obtenho apanhando píretro e caçando toupeiras. O lugar tem um quê diferente daquele do tempo em que ela e eu fomos buscar meu uniforme escolar. Na época minha mente estava focalizada em lojas de roupas. Agora me detenho nas mercearias: sacos de feijões, ervilhas, açúcar e sal, e caixas exibindo pacotes de farinha, pimentas verdes, vermelhas e amarelas, alho, cebolas, chilis, beldroega, e frutas, mamões, mangas e tâmaras. Também noto o mesmo retrato do frágil indiano de óculos, vestido em calças brancas com um xale lançado por sobre os ombros, o retrato que eu havia visto antes. Agora pergunto à minha mãe quem é o homem e por que seu retrato está pendurado nas paredes de muitas lojas. Ele é um dos deuses indianos, diz ela sem realmente prestar muita atenção no retrato. A mente dela está na realidade fixa em conseguir um trabalho, qualquer trabalho, que remunere. Govji, de uma das lojas, tem um trabalho para ela: escolher batatas. As boas, não estragadas, são colocadas em sacos. As minúsculas são coletadas para serem vendidas como mudas. As danificadas são jogadas no lixo. Eu ajudo minha mãe. É a coisa mais entediante que já fiz, mais maçante e repetitiva que colher chá ou píretro. Caçar toupeiras e ratos e construir uma loja para vendas são aventuras, ainda que não remunerem. Meu entusiasmo fenece conforme se passam os dias. Mas ela precisa do dinheiro para comprar comida que não precisaria ter que comprar e também para pagar minha instrução. Ela continua trabalhando com as batatas sem mim. Às vezes ela é autorizada a levar para casa algumas das batatas danificadas, como pagamento em espécie.

Havia um lojista indiano chamado Manubhai, mas conhecido comumente como Manu. Ele falava Gĩkũyũ fluentemente, embora às vezes o misturasse com suaíli. Ele fundara uma panificadora, a Panificadora Manubhai Limuru. Seu pão também era conhecido como Manu, em contraste com o pão assado nas Panificadoras Elliot em Nairóbi, às quais simplesmente se referia como Elliot. Manu e Elliot, tal como eram chamados os pães, encontravam-se numa competição. A panificadora Manu produzia mais pães do que havia compradores, e às vezes ele era forçado a jogar fora pilhas de pão não vendido em diferentes estágios de fermentação e decomposição. Quando isso acontecia, o boato rapidamente se espalhava e muitas pessoas, adultos, crianças, mulheres e homens, atacavam as pilhas, e em pouco tempo todo bocado de pão sumia. Uma vez, isso coincidiu com nossa caça por trabalho. Eu me vi no meio de uma horda arrebatando pães descartados e levando triunfalmente alguns para casa. Era uma pena que Manubhai não fizesse isso todos os dias, e não havia meio de dizer quando é que o faria de novo.

Estou ficando mais próximo de meu avô do que ficara de meu pai. Fico lisonjeado quando um dia ele pede que eu vá até sua casa. Ele se senta num tamborete de três pernas belamente esculpido. Sento-me em outro, menor. Mūkami me acalenta com um copo de leite morno. Então ele pede que ela traga "a caixa". Ele tira um saco da caixa, mergulha a mão nele e volta com um maço de cartas. Leia esta, diz ele, o que eu faço. Não, não, não essa, dizia ele, e eu passo à próxima, e assim por diante, até que pego a correta. Sim, leia inteira, diz ele. Ele assente de quando em vez, conforme leio. Ei! Ei!, exclama em aprovação e prazer. Fico orgulhoso de ver reconhecidas minhas habilidades de leitura. Traga um pouco mais de chá para ele, brada à esposa. Em seguida me passa papel e uma caneta, com tinta. Dita uma resposta palavra por palavra, linha por linha, parágrafo por parágrafo, pedindo-me que repasse o que eu escrevi até que a carta capte o tom que ele deseja. Ei! Ei!, diz ele, agora rindo silenciosamente em admiração e aprovação. "Ele consegue mesmo segurar uma caneta!" Meu avô se dirige com a voz mais alta à esposa, que se aproxima com o chá. Ele parece estar genuinamente impressionado com meu conhecimento. Torno-me seu escriba. Ele com frequência me pedia que fosse à sua casa ajudá-lo a escrever uma carta, mas com ainda mais frequência para ler cartas e ajudá-lo a separar documentos, incluindo notas fiscais. Ele, que antigamente fora um líder, desenvolveu uma reverência aos papéis relativos ao governo. Mas preza por quaisquer documentos escritos e tem sacos deles acondicionados em belas caixas. Fazia-me perguntas sobre este ou aquele documento, sobre o que aquilo dizia; então me instruía como arranjá-los. Tornei-me seu confidente, embora ele nunca peça minha opinião sobre os conteúdos. Sou simplesmente seu escriba particular. No processo, também passo a comer boa comida e ao beber chá com bons punhados de leite. Meu avô possui muitas vacas.

Minha mãe gosta disso, porque significa uma barriga a menos para alimentar. Tenho a impressão de que ela e a esposa de meu avô não são próximas.

Meu avô realmente ama sua jovem esposa Mūkami, que sempre usa vestidos de estilo ocidental. Ela se dedica completamente ao bem-estar dele. Embora não seja arrogante e de certo não seja dada a brigas com vizinhos, ela apresenta um comportamento indiferente que mantém as outras mulheres, até mesmo minha mãe, a determinada distância. Ninguém se atreveria a perambular dentro da casa dela sem certa consciência de que seria bem-vindo. Às vezes me pergunto se foi Mūkami quem despachara a Avó Gathoni.

Certa noite Mūkami me detém no lado de fora da cabana de Njango. Eu devia ir visitar o Avô de manhã cedinho. Imagino que ele tem uma carta para que eu leia ou escreva. Mas por que tão cedo? Lá estou, Mūkami abre a porta, me dá um assento e então meu avô surge na sala de estar todo trajado. Juntos tomamos chá com batata-doce. Aguardo minha incumbência. Então meu avô se levanta, despede-se e sai para algum evento lá fora. Mūkami me diz "Obrigada" e eu saio, a mente confusa mas a barriga satisfeita. Mais tarde, de noite, Mūkami me diz que eu devo fazer o mesmo na manhã seguinte.

Visitar o meu avô antes que qualquer outro visitante bata à porta torna-se parte de minha rotina diária. Vejo isso como uma espécie de privilégio, e saboreio a honra. Isso também faz eu me sentir cada vez mais próximo dele. É somente mais tarde que tomo conhecimento de que eu havia substituído Gĩcini como a primeira visita da alvorada. Meu avô crê que os garotos lhe trazem boa sorte. Ele quer que um garoto seja seu primeiro encontro antes que uma mulher, qualquer mulher, até mesmo uma garota, cruze seu caminho. Sou o novo pássaro do bom augúrio. Aparentemente coisas boas lhe acontecem depois que eu o visito durante a alvorada.

Meu avô deve ter se comovido com o intolerável congestionamento e a tensão dentro da cabana de Njango. Ou talvez agora esteja claro que meu pai não virá pleitear sua mulher e filhos. Ele reserva um trecho de dois acres de terra para minha mãe erguer uma construção, próxima, ironicamente, da terra de Lorde Kahahu.

Meu irmão Wallace Mwangi, em seus primórdios como aprendiz de carpinteiro, organiza a construção de um *rondavel* de parede de barro e teto de relva, quase uma réplica da casa que abandonáramos na propriedade de meu pai. Depois meu irmão levanta o seu próprio, uma casa de quatro cantos e dois quartos, sobre palafitas. Minha irmã, Njoki, cujo casamento deu errado, se junta a nós. Durante a estação chuvosa, meu irmão caçula, minha irmã e eu decidimos plantar ramos de certo arbusto ao redor de todo o trecho de um acre, na esperança de que se enraízem e formem uma sebe. A estação seca chega. Minha mãe traz para casa um pequeno ramo de certa árvore e o planta logo além do pátio. É uma pereira, diz ela, e rimos dela. Mãe, você faz as coisas como lhe dão na cabeça; você não plantou durante as chuvas; você escolhe plantar quando as chuvas já se foram. Ela não discute. Apenas sorri. Mas ela o rega e ao fim da estação nossos plantios morrem, e a pereira vive. A sebe tem de ser refeita inteira.

E então vida nova começa: de comunidade poligâmica, transformamo-nos numa família monoparental. Continuo representando meu papel como escriba e pássaro de bom augúrio para meu avô. Mas agora ficarei indo e voltando de Manguo, a partir de meu novo lar com uma solitária pereira logo além do pátio.

15

A escola ficava a cerca de três quilômetros de meu novo lar, o que já era uma melhoria na distância que eu costumava cobrir quando ia a Kamandūra. Estava no meio do ano na terceira série quando deixei a escola Kamandūra pela escola Manguo. Achando que estava meramente agindo conforme conselho de meu irmão, fiquei surpreso em descobrir que fazia parte de um êxodo, que reagia às mesmas pressões. Não estava claro por que eu estava de fato sendo transferido, mas soube pelas outras crianças que aquilo tinha a ver com dois termos misteriosos, "Kῑrore" e "Karῑng'a". Ninguém explicou o que significavam, ou a origem deles. Mas possuíam uma história.

Após o Quênia ter passado de propriedade da companhia britânica a um Estado colonial, em 1895, o Estado relegou amplamente a educação às mãos das missões protestante e católica romana, entre elas a Sociedade Missionária da Igreja, fundada muito antes, em 1799. Outras, tais como a Sociedade Missionária do Evangelho, fundada em 1898, vieram depois. A mais proeminente na minha região era a Igreja Missionária Escocesa, fundada em 1891, cujo centro ficava em Thogoto, a cerca de dezenove quilômetros de Limuru, onde, sob a égide do dr. J. W. Arthur, fora fundada uma escola popularmente conhecida como Mambere, que significa "moderno" ou "progressista". A missão depois abriu escolas de assistência, como Kamandūra, mais distante. Embora esses centros fossem influenciados pela modernidade, *kĩrĩu*, e fornecessem cuidados médicos muito necessários e até mesmo ensinassem habilidades práticas em marcenaria e agricultura juntamente com uma instrução literária limitada, eles estavam lá para converter. Uma conversão bem-sucedida era medida a partir de quão rápida, profunda e completamente alguém se despojava de sua cultura e adotava novas práticas e valores. Por exemplo, entre o povo Gĩkũyũ, a circuncisão era considerada um rito de passagem que marcava a transição da juventude, um estágio de nenhuma responsabilidade legal, para a maturidade, com total responsabilidade. Em 1929, uma série de sociedades missionárias na Província Central — a Igreja Missionária Escocesa liderada pelo dr. Arthur; a Sociedade Missionária do Evangelho; e a Missão do Interior Africano, que já haviam condenado a circuncisão feminina como bárbara e anticristã — deu prosseguimento à sua campanha contra a prática e anunciou que todos os seus professores e agentes africanos teriam que assinar uma declaração jurando solenemente nunca vir a circuncidar crianças mulheres; nunca se tornar um membro da Kikuyu Central Association, a principal organização política africana da época; nunca se tornar um seguidor de Jomo Kenyatta, secretário-geral da KCA, que então estava na Inglaterra como delegado da organização; e nunca se afiliar a qualquer partido a não ser que este fosse organizado pelo governo ou pelos missionários.[*] A declaração solicitava aos adeptos do cristianismo da escola que tomassem uma posição contra a prática e também contra a política de resistência, que, apesar da interdição da East Africa Association de Harry Thuku em 1922, de seu exílio e aprisionamento, e do massacre de vinte e três quenianos do lado de

---

[*] Theodore Natsoulas, "The Rise and Fall of the Kikuyu Karing'a Education Association of Kenya, 1929-1952", *Journal of African and Asian Studies*, v. 23, n. 3-4, pp. 220-1, 1988; ou em <http://jas.sagepub.com/cgi/content/abstract/23/3-4/219>. (N. A.)

fora da Delegacia Central de Polícia de Nairóbi, havia continuado e até mesmo fora intensificada sob a KCA. Havia um conflito de interesses. Desde muito cedo os missionários foram os porta-vozes colonialmente aceitos dos interesses africanos, tendo o dr. Arthur até mesmo garantido uma cadeira na legislatura colonial como o porta-voz oficial dos interesses africanos, ao passo que europeus e asiáticos tinham seus próprios representantes diretos. Portanto, a briga acerca da circuncisão feminina tornou-se uma procuração para a economia, a política e a cultura, e para qualquer pessoa ou organização que tivessem o direito de falar pelos africanos do Quênia.

Kidole, palavra suaíli para "impressão digital", tornou-se *kīrore* em Gīkūyū, e transformou-se num termo pejorativo para designar aqueles que assinavam ou concordavam com aquela declaração. Os que não a assinavam, *aregi gūtheca kīrore*, abandonavam as instituições missionárias e se juntavam ao nascente movimento das escolas independentes africanas, seguidos, na maioria dos casos, por seus estudantes. Uma das mais antigas escolas independentes de que se tem notícia no Quênia foi fundada em Nyanza por John Owalo, mas na Província Central uma escola fundamental independente foi fundada em Gīthūngūri em 1925 por Musa Ndirangū, um comerciante bem-sucedido, e por Wilson Gathuru, o primeiro professor, que também cedeu a terra onde a escola foi construída. Inicialmente um operário numa fazenda de brancos, Musa Ndirangū estudou entre 1911 e 1913 numa escola da Sociedade Missionária do Evangelho em Kambūi, onde residia Harry Thuku. Frequentou a escola no fim dos dias de trabalho para perseguir sua independência pessoal, que encontrou no comércio sendo seu próprio chefe. Essa sua mentalidade estava em sintonia com a política de Harry Thuku, em parte influenciada por suas ligações com Marcus Garvey, cujo lema, "África para os africanos", encarnava a visão da autonomia. Marcus Garvey buscara independência nos negócios. Ndirangū pôs a autonomia em prática ao criar uma escola fundamental administrada pelos próprios africanos. Após a declaração de 1929, muitas outras escolas foram fundadas por comitês locais compostos de anciãos e professores. Duas organizações surgiram para supervisionar o desenvolvimento das novas escolas: a Kikuyu Karĩng'a Education Association (KKEA) foi inaugurada em 1933 em Lironi, não muito longe de Kamandũra, e a Kikuyu Independent Schools Association (KISA) em 1934, em Gĩtuamba, Mũrang'a.

As duas organizações tinham afiliações religiosas: a Igreja Pentecostal Africana Independente, no caso da KISA, e a Igreja Ortodoxa Africana, no da KKEA, com raízes que remontavam à Igreja Ortodoxa Afro-Americana, via África do Sul, pelas mãos do bispo William Daniel Alexander, que visitou o Quênia durante dezesseis meses entre 1935 e 1937. A Igreja Ortodoxa Afro-Americana fora formada por outro Alexander, o bispo George Alexander McGuire, que anteriormente fora capelão-mestre na Marcus Garvey's Universal Negro Improvement Association. "Karĩng'a" era o termo autodesignado para ortodoxia tanto na tradição quanto na religião. A cristandade seria tosada das propensões ocidentais, e a tradição, das tendências negativas, tendo os africanos como os árbitros da configuração e da direção de mudança. A circuncisão feminina era permitida mas não exigida.

Os termos "Kĩrore" e "Karĩng'a" tornaram-se uma maneira de caracterizar as escolas. Kĩrore, conforme aplicavam às escolas missionárias, conotava escolas que deliberadamente privavam os africanos do conhecimento, em detrimento de capacitá-los para apoiar o Estado colonial, que de início restringia a educação africana à carpintaria, à agricultura e à alfabetização básica, apenas. O domínio da língua inglesa era visto como desnecessário. A comunidade colona branca queria mão de obra africana "habilidosa", e não mentes africanas cultas. As escolas Karĩng'a e da KISA buscaram romper todos os entraves ao conhecimento. A língua inglesa, vista como indispensável à modernidade, também deflagrava a discórdia. Nas escolas governamentais e missionárias, o ensino do inglês começava na quarta série ou mais tarde; nas escolas Karĩng'a e da KISA, na terceira série ou até mesmo antes, dependendo dos professores.

Portanto, ao conservar-se com as tradições estabelecidas pelas guerras educacionais da época, Kamandũra foi vista como se estivessem nos negando o tipo de educação que nos impulsionaria rapidamente aos tempos modernos. Em contraste, Manguo era vista como tendo um currículo escolar mais desafiador, exigindo a rápida conquista do inglês à medida que entrávamos nos tempos modernos.

Desse modo, ao passar de Kamandũra, uma escola Kĩrore, para Manguo, uma escola Karĩng'a, eu estava atravessando uma grande cisão histórica que começara muito antes de eu ter nascido, e que, anos depois, eu ainda estaria tentando compreender através de meu primeiro romance, *The River Between* [O rio no meio]. Mas na época eu não estava tentando compreender a história ou representá-la; apenas queria realizar meus sonhos de ensino em conformidade com o pacto que eu havia feito com minha mãe.

16

A língua inglesa pode ter sido citada como razão principal para o êxodo de Kamandūra à escola Manguo, mas duvido que houvesse muita diferença no ensino da língua. Praticamente todos os instrutores eram fruto das escolas missionárias e governamentais, e apenas podiam contar com o que conheciam. Na verdade, meus professores de inglês e de história em Manguo, Fred Mbūgua e Stephen Thiro, eram graduados por uma escola da Igreja Missionária Escocesa em Thogoto, Kikuyu, o reino missionário do dr. Arthur.

A diferença residia em coisas intangíveis. Quando penso retrospectivamente em Kamandūra, o que me surge são imagens de igreja, prece silenciosa e conquistas individuais; em Manguo, imagens de representações, espetáculos públicos e um senso de comunidade. Os serviços dominicais em Kamandūra seguiam um padrão determinado: um texto do Novo Testamento que transmitia o tema do sermão do dia; preces; e hinos que eram traduções Gīkūyū e interpretações das letras e melodias do hinário da Igreja Missionária Escocesa. Sem acompanhamento musical, as melodias eram lentas, pesarosas, quase extenuantes. O texto, os hinos e o sermão convocavam uma calma introspecção nos ouvintes mais velhos, mas apenas impaciência nos jovens. Manguo, aos domingos, era diferente.

Manguo, fundada em 1928 numa terra cedida pela família Kīeya, tendo Morris Kīhang'ū como primeiro chefe, mas depois substituído por Fred Mbŭgua e mais tarde por Stephen Thiro, não tinha uma construção própria para a igreja. Aos domingos, o saguão da escola tornava-se solo sagrado, as mesas comuns transformavam--se em um colorido altar decorado, e os bancos comuns, em bancos de igreja. O pregador no primeiro dia em que compareci à escola era Morris Kĩhang'ũ, um professor normal nos dias úteis, na mesma escola, não o mais popular deles, inclinado que era a usar a vara para impor disciplina e atenção na sala de aula.

No domingo de meu primeiro comparecimento, eu nunca havia visto nada igual àquele serviço. Os hinos, frequentemente acompanhados por tambores e címbalos, tinham mais entusiasmo e ritmo. Alguns eram composições recentes, evocando eventos e experiências contemporâneos através do imaginário bíblico. Na verdade, muitas das letras se baseavam em eventos bíblicos. *Em tempos de privação, ó Senhor, por favor não vireis vossa face. Quando Daniel foi posto no covil dos leões, Senhor, vós mandastes vosso anjo... et cetera. Quando Caim trespassou seu irmão Abel com uma faca... et cetera. Sansão e Dalila. Davi e Golias.* O que o Senhor já havia feito, podia fazê-lo agora: dar força aos humildes e dispersar seus inimigos.

Os versos e as imagens nas várias letras eram familiares: eu as lera em meu exemplar de seleções do Velho Testamento, mas, saídas dos lábios daquela massa de adoradores, transmitiam uma sugestão de sublime pujança. Os solistas mudavam; qualquer membro da congregação podia juntar-se, às vezes dois, assumindo a próxima estrofe ou repetindo uma precedente. Algumas das chamadas-e-respostas eram triádicas: vozes em uníssono, que se fendiam numa antifonia antes de mais uma vez se juntarem em triunfante reconciliação.

E então vinha o sermão; este também era baseado num texto do Velho Testamento. O pregador principiava lentamente, calmamente, gradualmente levantando a voz. Então surgiam mudanças dramáticas na voz e no gestual, conforme ele cantava, adulava, suplicava, condenava, prometia. Ele rasgava a camisa, desnudando o peito e golpeando-o, representando sua humilhação, conforme implorava a seu Deus, o Deus de Isaac e Abraão, que fizesse pelas pessoas ali presentes o que Ele havia feito eras antes aos filhos de Israel, libertando-os da opressão, liderando-os da escravidão, passando por desertos escaldantes, através de mares atroantes, cegando-lhes os perseguidores. Era como se ele houvesse sido uma testemunha ocular do êxodo. Então ele simulava a voz de Deus dizendo a seus seguidores: Dilacerem seus corações, não suas roupas, e voltem-se a mim, pois eu sou Jeová, seu Deus! Por essa altura, a audiência estaria gemendo e grunhindo consentimento, instigando seu pregador. No meio do sermão, numa pausa apropriada, ou em resposta a uma pergunta implícita, algum membro da congregação respondia com uma estrofe de uma canção, induzindo o pregador e a congregação a se juntarem, e então o pregador retomava sua apresentação como se a resposta tivesse sido parte integrante do sermão. Discretamente, Kĩhang'ũ deixa de ser o professor que eu conheci, seu corpo e sua voz mudaram. É simultaneamente regente e membro de uma enorme orquestra. Contudo, quando vejo o professor Kĩhang'ũ na segunda-feira, ele parece tão singelo, frágil, até. Onde estão a voz e a presença que eu havia visto fazerem tremer a terra?

Embora nem sempre se elevasse à mesma intensidade, a apresentação permeava tudo em Manguo, evidenciando uma experiência comum e uma esperança de salvamento coletivo. Sucesso e fracasso não eram meramente individuais: incluíam outrem. Competíamos não apenas entre nós mas também contra outras forças, até mesmo contra o tempo. Era sempre um por todos e todos por um.

Nada demonstrava isso melhor do que os esportes. Manguo não tinha bons campos ou grandes instalações esportivas, mas se virava com o que tinha. Uma de minhas maiores emoções veio de meu primeiro comparecimento num festival de esportes realizado numa parte dos pântanos de Manguo que com frequência ficava seca e firme na estação quente.

O festival começava nas ruas com uma fanfarra, o que era novo para mim. O baliza, que trajava um kilt escocês, conduzia a banda com uma batuta decorada com fios verdes que terminavam em rolos e franjas frouxos em ambas as extremidades. Às vezes ele arremessava a batuta tão alto no ar que eu arfava de medo de que não conseguisse pegá-la, mas ele sempre a pegava destramente sem errar um passo. Os tambores, as cornetas e as trombetas pareciam conversar uns com os outros através de belos sons sem palavras.

À medida que a banda serpenteava através do mercado e dos centros de compras, nós, crianças, e até mesmo alguns adultos, corriam ou tentavam marchar ao lado dela até a entrada do local do festival, onde apenas aqueles que tinham ingresso podiam entrar. Os campos eram contornados por uma espessa parede de relva e talos de milho a fim de coibir tentativas maliciosas de criar aberturas e espreitar através delas, tentativas constantemente frustradas por vigilantes olhos oficiais, sobretudo por garotos em uniformes de escoteiro. Mas pouco podiam fazer os organizadores quanto àqueles que se sentavam em cima da serra ou escalavam árvores a certa distância das paredes.

Nos campos havia espetáculos secundários, incluindo a exibição de uma pessoa pequena cujas palavras e bizarrices foram assunto de intenso falatório depois, mas as principais atrações incluíam flexões abdominais sincronizadas, pula-sela ou polichinelos, e pinturas vivas, algumas das quais, embora fossem feitas para parecerem fáceis, pareciam-me perigosas. Corridas de três pernas, de equilíbrio de ovo na colher ou de carrinho de mão humano provocavam estridente envolvimento da multidão, mas nada podia se equiparar à animação produzida pelas corridas de atletismo, particularmente as que duravam mais de um quilômetro e meio. Os vencedores viravam heróis e heroínas em suas aldeias. Quando corriam a volta olímpica, algumas pessoas da multidão se juntavam a eles. No fim do dia, uma multidão ainda maior seguia triunfalmente os heróis e heroínas por todo o caminho até suas casas. Às vezes a multidão os carregava nos ombros, com os heróis ou seus ajudantes segurando por cima da cabeça os troféus recebidos, fossem eles bacias, enxadas, machetes ou machados, pois os prêmios eram sempre ferramentas, e não dinheiro.

O festival era um evento anual nas escolas Karĩng'a e nas da KISA, que revezavam como sede, garantindo assim que se alternasse de local em local, região em região. Esses eventos forjaram uma união entre a KISA e as Karĩng'a ao mesmo tempo que estreitaram o vínculo entre as escolas e a comunidade. O fato de que espetáculos fossem organizados sem apoio governamental ou missionário ajudou a intensificar o orgulho comunitário coletivo.

O senso de vitória ou perda comunal também era sentido na sala de aula, muito evidente quando o resultado dos exames era anunciado no fim do ano. Pais, tutores, parentes e vizinhos iam à escola participar da celebração da excelência. Era uma ocasião formal a que compareciam os anciãos fundadores da escola, entre eles Mzee Kĩeya, que havia doado a terra, e cujo filho, Stephen Thiro, lá lecionava. Quem quer que obtivesse os cobiçados três lugares, o primeiro, o segundo ou o terceiro, se tornava o orgulho da família e da comunidade. Aqueles que "se agarravam à cauda", conforme a expressão daquele tempo, levavam vergonha à família. Portanto, toda celebração de excelência acadêmica era acompanhada de riso e lágrimas, júbilo e pesar coletivos. A pressão para que você se saísse bem deve ter produzido o mais alto grau de tolerância ao castigo corporal, às vezes beirando o abuso, que era tão comum em Manguo. A criança magoada não recebia compaixão dos pais. O professor sempre estava certo; afinal de contas, na sala de aula ele era o olho diário da comunidade.

Embora as coisas viessem a mudar nos anos por vir, eu não sobressaí em nenhuma matéria durante meu primeiro ano em Manguo, nem mesmo em esportes ou educação física. Mas fizera algo que chamara a atenção de Fred Mbũgua. Eu havia escrito uma dissertação de classe em Gĩkũyũ, o relato de um encontro de um conselho imaginário de anciãos. Ele pareceu ter ficado impressionado pelo fato de que eu havia captado a solenidade do discurso dos idosos com minha escolha de palavras, imagens e provérbios. O trabalho foi lido ao grupo. Não consigo me lembrar se meu irmão mais velho estava lá. Certamente minha mãe não estava. Mas quando cheguei em casa, minha mãe sabia sobre aquilo. Ter sido solicitado a ficar de pé e recebido aplausos era a confirmação de que eu havia feito o melhor de que era capaz.

Minha mãe deve ter ficado contente, porque mais tarde ela me permitiu trepar na querida pereira dela e sacudir alguns frutos. Ela a protegia, com ciúmes, dando amor e carinho, e a árvore, como se lhe devolvesse o favor, com frequência dava muitos frutos.

Fiquei feliz por meu exercício de classe tê-la deixado feliz e ter trazido honra e orgulho coletivos à minha nova comunidade.

17

Eu não sabia que em breve me tornaria um trovador viajante. A música, em Kamandūra, acompanhava cerimônias religiosas, principalmente orações; em Manguo, a música era incorporada em tudo, fosse secular ou religioso. Até mesmo o festival de esportes tinha corais que assinalavam os intervalos, uma alternativa à fanfarra. As apresentações, incluindo música e dança, eram parte das reuniões escolares de fim de ano. Algumas dessas apresentações eram simples paródias e esquetes.

Duas delas deixaram uma impressão em mim durante um bom tempo. Uma, chamada "Uma bicicleta feita para dois", era a história de um triângulo amoroso em que dois amigos homens desbancavam um ao outro para ganhar o amor de uma garota. Acabavam brigando, dando à garota uma oportunidade de escapar. Ambos perdiam. A outra apresentação tinha algo a ver com justiça ou com a arte de corrigir erros injustamente. Uma mãe deixa duas bananas para os dois filhos dividirem. Os dois irmãos começam a brigar pelas bananas; ambos querem a banana maior. Um homem velho, aparentando ser um adulto inteiramente atencioso, passa por perto, vê o problema e se oferece para ajudar, deixando iguais as duas bananas. Pegando as duas frutas nas mãos, ele as compara e morde um pedaço da maior, apenas criando uma nova desigualdade, a qual ele tenta retificar da mesma maneira. Por fim, ele come as duas bananas, deixando os irmãos ponderando a igualdade da perda. Tarde demais, os irmãos juntam forças contra o velho, que corre do palco tal como se as bananas lhe houvessem conferido juventude novamente. As paródias eram todas feitas mediante mímica; no entanto, eram muito eloquentes, provocavam aplausos, risadas e acenos de cabeça aprovativos.

A apresentação de músicas, a maioria delas com temas educativos, produzia um clima diferente e levava alguns ao choro.

Korwo nĩ Ndemi na Mathathi
Baba ndagwĩtia kĩrugũ
Njoke ngwĩtie itimũ na ng'ombe,
Rĩu baba, ngũgwĩtia gĩthomo

Ndegwa rĩu gũtitũire
Thenge rĩu no iranyihahanyiha
Ndirĩ kĩrugũ ngũgwĩtia
Rĩu baba, ngũgwĩtia gĩthomo

Estivéssemos nos tempos de nossos antepassados Ndemi e Mathathi
Eu lhe pediria, meu pai, o festejo que se dá aos novatos
Então lhe pediria para me equipar com lança e escudo,
Mas hoje, Pai, lhe peço apenas que me dê ensino

Nosso rebanho de touros se foi
Nossos bodes foram reduzidos
Não lhe pedirei um banquete
Tudo que lhe peço, meu pai, é que me dê ensino

Havia outras variações nas quais os cantores pediam por materiais de escrita, canetas e quadros-negros, em vez de lança e escudo. Eu encarava as letras e a melodia de maneira pessoal: sentia como se elas estivessem exprimindo o destino dos rebanhos de meu pai.

Gradualmente as novas canções se alastraram para além da escola, deflagradas por uma tendência social emergente entre homens e mulheres jovens. Nas tardes de domingo, organizavam encontros sociais em suas casas ou ao ar livre, onde conversavam e cantavam. A plataforma da estação ferroviária não era mais o principal centro de sociabilidade. Foi num desses encontros, realizado em meu novo lar, que cantei a canção de Ndemi e Mathathi pela primeira vez, após a insistência brincalhona dos jovens homens e mulheres na casa de meu irmão Wallace. A emoção que pus ao cantar veio de um coração embebido de recentes perdas: a redução do gado de meu pai, minha expulsão de casa. A emoção pública e a emoção privada da perda se cruzavam. A multidão se juntou ao canto. Minha interpretação havia captado, de maneiras que eu não esperava, o clima do momento.

Meu irmão Wallace resolveu que eu era um cantor. Onde quer que houvesse um encontro de jovens homens e mulheres ele achava maneira de garantir que eu exibisse meu talento. Sendo pequeno para minha idade, sempre despertava curiosidade. Os resultados eram sempre os mesmos: envolvimento dos adultos, depois adulação. O garoto é esperto. O garoto que escreveu a dissertação que Mwalimu, Fred Mbũgua, leu na reunião era também cantor.

Eu estava agora em meu segundo ano em Manguo. Já completara o Exame de Admissão Competitivo na quarta série e me saíra bem. Era um exame final, um verdadeiro obstáculo na competição escolar. O exame foi depois abolido: inúmeras crianças reprovavam e paravam de estudar; tornavam-se trabalhadores nas plantações de chá e café. Ter passado no exame aumentou minha reputação entre os amigos do meu irmão Wallace.

Uma manhã cheguei à escola mais cedo do que normalmente chegava e encontrei um grupo de estudantes cantando, em vez de brincar como geralmente faziam antes da reunião matutina. Fiquei petrificado. A melodia era familiar: onde eu a havia ouvido?

Então me lembrei. Um dia, ainda na casa de meu pai, eu descera aos pântanos de Manguo. Durante a estação chuvosa, os pântanos ficavam, é claro, encharcados e assim permaneciam por muitos meses, às vezes até a chegada da próxima estação chuvosa. Os juncos cresciam. Os pássaros sobrevoavam o pântano; alguns faziam ninho entre a relva e os juncos onde punham os ovos. Havia uma estrada de terra que ligava Limuru à estrada Nairóbi-Nakuru construída pelos prisioneiros de guerra italianos. Algumas pessoas brancas costumavam ir até lá para caçar pássaros, seus cães debatendo-se na água para buscar a caça abatida. Eu não havia nem mesmo atravessado a estrada quando, num local que costumávamos chamar de recanto de Kĩmunya, vi um comboio de caminhões com homens e mulheres enjaulados na traseira.

Qualquer comboio de caminhões ao longo dessa estrada sempre trazia de volta a memória do acidente na pedreira de laterita que matara homens do Exército e ferira outros na Segunda Guerra Mundial. Minha barriga se contraía, temendo outro acidente. O comboio que eu vira produziu os mesmos medos. Não houve acidente algum, mas as pessoas cantavam como se houvessem testemunhado ou aguardado um.

Eu não captei todas as palavras, mas a melodia e a maneira como a cantavam, totalmente convictos, comoveram-me com sua confrontação e sua imensurável tristeza. Eu gostaria de ter entendido as palavras.

E agora esses estudantes estavam cantando aquelas letras!

Wendani ndonire kuo
Wa ciana na atumia
Mboco yagwa thĩ tũkenyũrana
Hoyai ma, thai thai Ma
Amu Ngai no ũrĩa wa tene

Grande amor eu vi ali
Entre mulheres e crianças
Quando um bocado foi levantado do chão
Repartido igualmente entre nós
Rezem a ele ardorosamente
Implorem a ele ardorosamente
Ele é o Deus eterno

As mesmas palavras, a mesma melodia, tal como se os estudantes tivessem participado do comboio dos enjaulados. Aprendi a estrofe e o coro e os acrescentei ao meu repertório. Era só eu começar a cantar que os adultos tomavam parte.

Meu canto fez alguns dos amigos de meu irmão, que com frequência vinham visitá-lo em sua nova casa de um dormitório, começarem a conversar comigo sobre assuntos da terra, como se eu mesmo fosse um adulto. Apelidaram-me de Mzee, "Ancião", um termo respeitoso. Por minha vez, chamava-os também de Mzee. Eram adultos, os colegas de meu irmão mais velho, mas Mzee tornou-se um apelido entre nós. O mais culto e inteligente do grupo de adultos era Ngandi Njūgūna.

— É a canção de Ole Ngurueni — explicou-me Ngandi quando lhe perguntei sobre a popularidade da canção.

— Ole Ngurueni? — perguntei, confuso.

— A partir de 1902, quando os europeus roubaram nossas terras, eles transformaram muitos dos proprietários originais em posseiros, à força ou com artimanhas, ou ambos. Veja bem, para conseguir dinheiro para os impostos, a pessoa tinha que trabalhar em troca de remuneração, em algum lugar. Então, depois da Primeira Guerra Mundial, mais africanos tiveram as terras tomadas deles para dar lugar aos assentamentos de soldados. Alguns foram para o Vale Rift, aumentando a população de posseiros. Então, em 1941, mesmo enquanto nossos homens iam lutar por eles na grande guerra, os colonos europeus começaram a expulsar posseiros de suas fazendas, mais um deslocamento. Ole Ngurueni, perto de Nakuru, era uma área de recolonização para alguns dos que foram desalojados. Mas então, três anos depois do retorno dos nossos soldados da Segunda Guerra Mundial, o governo colonial decidiu expulsar os residentes de Ole Ngurueni, de novo, pela terceira vez. Os habitantes de Ole Ngurueni fincaram pé: não saíam; não seriam removidos de suas casas pela terceira vez. O poder deles? A solidariedade. Juraram ficar juntos e nunca agir sozinhos. A família de um dos líderes, Koina, vem de Limuru. O que o governo fez? Colocou-os em caminhões, como gado, e levou-os a Yatta, no Quênia Oriental. Eles puseram a narrativa de sua remoção forçada de Ole Ngurueni até Yatta, uma região que eles chamavam de "terra das rochas negras", numa canção.

Foi em 1948 que ouvi a canção pela primeira vez. Eu não sabia que dois ou três anos depois voltaria a ouvi-la em Manguo, nem que viria a cantá-la para uma multidão muito atenta, na qual podia haver parentes das vítimas.

De acordo com Ngandi, a história de Ole Ngurueni, um conto sobre deslocamento, exílio e perda, era de fato uma história do Quênia; a resistência do povo era um prenúncio de coisas por vir.

18

Ngandi foi educado e preparado para ser professor na Kenya Teachers' College, em Gĩthũngũri. Ele falava de sua *alma mater* com muito orgulho: oferecera-lhe o melhor ensino do mundo. A faculdade era um fruto da competição por professores e estudantes travada pela aliança entre a KISA e a KKEA, de um lado, e entre as Kĩrore e Thirikari, os programas de ensino nacionais e missionários, do outro. Mesmo depois de o crescimento das escolas africanas independentes ter se intensificado a partir de 1929, o governo e os centros missionários continuaram a ser a fonte de professores preparados, e relutavam em admitir os candidatos que vinham diretamente das duas organizações independentes, KISA e KKEA. As escolas independentes continuaram a cooptar professores dos centros missionários, satisfazendo a escassez com os despreparados. Contudo, tanto a KISA quanto as Karĩng'a se orgulhavam de acharem-se fora do alcance do controle governamental e missionário. A busca por autonomia a respeito dos professores foi o desafio que levou à concepção de uma Kenya Teachers' College em Gĩthũngũri, local da primeira escola fundamental independente fundada por Musa Ndirangũ. O local simbolizava continuidade.

A mente por trás da concepção e execução dessa faculdade de formação de professores era Mbiyũ Koinange, o primeiro filho do lendário Chefe Supremo Koinange. Após um período na Alliance

High School em Kikuyu, Mbiyũ foi cursar o ensino médio, em 1927, no Hampton Institute da Virginia, a mesma escola em que um famoso educador afro-americano, Booker T. Washington, se formara em 1875 e onde lecionara antes de inaugurar o Tuskegee Institute no Alabama, em 1881, após recomendação do general Armstrong, o diretor do Hampton Institute. Mbiyũ deve ter se saído muito bem para ter suscitado, após sua graduação em Hampton, comentários apreciativos de seus colegas estudantes: uma pessoa nobre trilha seu caminho, consciente de sua nobreza, diziam dele.

Após Hampton, Mbiyũ foi para a Ohio Wesleyan College, graduando-se com um Bacharelado em Artes em 1935. Sua graduação em Ohio chamou a atenção da *Time*, na edição de 4 de junho de 1935, que listava entre os interesses dele os cantos religiosos negros. Descrevendo-o como o filho de uma dançarina, observava sua avidez de retornar para casa a fim de promover a "ânsia pelo aprendizado" entre os membros de sua comunidade, cuja "principal ambição", opinava a edição, outrora fora "fazer os lóbulos das orelhas dele chegarem até seus ombros". A *Time* obviamente nunca ouvira falar de Harry Thuku e seu movimento operário anticolonial nos anos 1920, ou da luta por educação liderada por aqueles anciãos de lóbulos muito compridos. Mbiyũ foi para a Columbia University fazer seu mestrado em pedagogia, sendo o primeiro africano queniano a obter educação superior. Regressando ao Quênia em 1938 e consultando seu pai, chegou a uma solução: uma faculdade administrada por africanos, de propriedade da comunidade, inspirada em Hampton e Tuskegee, da qual ele seria o diretor. Com seus idealizadores esperando que ela se transformasse na Kenya University, a faculdade viria a se tornar um dos maiores e mais ambiciosos projetos educacionais já empreendidos no Quênia colonial. Ao inspirar-se em Hampton e em Tuskegee, a faculdade estava se reconectando aos conceitos de autonomia de Garvey, que, por meio de Harry Thuku e do jornal *The Negro World*, haviam estimulado o surgimento das escolas independentes. O próprio Garvey se sentira atraído pelo modelo de Tuskegee quando em 1914 deixou a Jamaica para ir aos Estados Unidos, mas chegou tarde demais para se encontrar com Booker T. Washington, que morreu em 1915.

Os sonhadores quenianos se voltaram para suas tradições culturais em busca de soluções para os problemas de financiamento, ironicamente baseados na contenciosa prática da circuncisão. Todo adulto Gĩkũyũ, homem ou mulher, pertencia a um grupo etário, baseado no ano em que haviam sido iniciados. O dinheiro seria arrecadado mediante os grupos etários, cada um competindo com o outro para ver quem arrecadaria mais. Mas havia outras iniciativas e inovações individuais.

Conta-se uma história de uma camponesa iletrada, Njeri, que foi conferir a célebre faculdade com seus próprios olhos. Ficou horrorizada ao descobrir que, ao passo que os garotos viviam em dormitórios construídos com pedras, as garotas dormiam numa cabana de paredes de barro e telhado de relva. Ela voltou à sua aldeia e começou a organizar as mulheres, que deram tudo que podiam para comprar pedras e alumínio para o dormitório das garotas. A iniciativa dela tornou-se um movimento feminino que se expandiu além de sua aldeia.

O empenho em levantar dinheiro mobilizou toda a comunidade Gĩkũyũ adulta, e a Kenya Teachers' College em Gĩthũngũri tornou-se parte do orgulho coletivo sacramentado em muitas canções populares da época.

> *Ao chegar em Gĩthũngũri*
> *Você vai encontrar uma faculdade do povo africano*
> *É um edifício de quatro andares*
>
> *Os construtores são quenianos*
> *O administrador é um queniano*
> *O comitê é composto de quenianos*

A faculdade, que também incorporava ensino médio, foi portanto vista como um contrapeso ao projeto colonial e missionário, que sempre supôs uma fragilidade na mente africana. Aberta a todos os africanos quenianos, a Kenya Teachers' College em Gĩthũngũri era uma instituição comprometida a produzir professores que forneceriam às crianças africanas conhecimentos ilimitados, imparciais, capacitando-as a competir com o que as escolas governamentais e missionárias ofereciam de melhor. A faculdade inspirou intelectuais organicamente ligados à comunidade, que virariam intérpretes itinerantes do mundo para o povo.

Ngandi Njũgũna partilhava dessa ambição e tradição. Sempre dizia que o dia em que a faculdade foi formalmente inaugurada, 7 de janeiro de 1939, foi um grande dia para o Quênia. Embora inaugurada num tempo de guerra, ela sobreviveu às privações. Ele alegava que até mesmo muitos europeus e asiáticos costumavam visitar a faculdade para testemunhar com os próprios olhos aquela iniciativa. Soldados negros americanos estacionados em Nairóbi visitavam a faculdade e até mesmo cantavam canções religiosas negras à comunidade. Ngandi nunca conseguia falar durante muito tempo sobre qualquer coisa sem de alguma forma trazer à tona a Kenya Teachers' College.

Ele sobressaiu na multidão ao meu redor pela primeira vez quando me emprestou um livro que logo se tornou o segundo livro mais estimado por mim, após meu gasto exemplar do Velho Testamento. Era *Mwendwo nĩ Irĩ na Irĩri* (Amado pelo povo), escrito por Justus Itotia, um professor na Jeans School, em Kabete, perto de Nairóbi, fundada em 1925 para o desenvolvimento da comunidade rural. A obra era uma coletânea de ensaios, charadas e histórias que promoviam o ideal de uma boa pessoa cujo caráter moral fora moldado pelos valores de civilidade, compromisso e responsabilização mútua, que, embora encontráveis na velha cultura, antecipavam e se satisfaziam nos ideais cristãos do mundo moderno. Duas narrativas eram modelares: uma parábola e uma prosaica descrição de uma viagem.

Um homem prestes a viajar a negócios a outro país pede a seu amigo, um pastor, que cuide de suas vacas malhadas enquanto ele estiver fora. A vaca dá à luz quase ao mesmo tempo que a vaca marrom do pastor. Já que a vaca malhada é conhecida pela alta produção de leite, o pastor simplesmente troca os bezerros, dando o malhado à mãe marrom para mamar e o marrom à mãe malhada. Por fim o homem regressa para reivindicar sua vaca e sua prole, quando vê a extravagância de um bezerro malhado sendo amamentado pela vaca marrom e o bezerro marrom sendo amamentado pela vaca malhada. Percebendo o ocorrido, ele leva o assunto aos anciãos. Embora os anciãos suspeitem de que seja verdade, devido à cor dos bezerros, não conseguem chegar a um consenso porque se trata da palavra de uma pessoa contra a de outra. Por piedade ao sofrimento do conselho de anciãos, já que o caso se arrasta por anos com os bezerros disputados dando à luz outros, que por sua vez dão à luz outros, um garoto se oferece para resolver o caso. Os anciãos ficam céticos, mas uma vez que se acham no limite de seu juízo, deixam-no tentar. Seguem as instruções dele. Na véspera da sessão seguinte, eles secretamente o põem num buraco e, deixando espaço bastante para respirar, cobrem-no com uma pedra que testa a força coletiva deles ao arrastá-la ao lugar. Quando o homem e o pastor chegam para a audiência, os anciãos, que se encontram sentados muito longe da pedra, primeiro pedem ao pastor que traga a pedra até eles. Fracassando, após muito suor e estafa, e vendo que está inteiramente só, ele sussurra para si mesmo: Por que diabos troquei os bezerros, em vez de ficar com o que era meu? Ele volta até os anciãos. O outro requerente recebe as mesmas instruções. Fracassando em mover a pedra um centímetro sequer, sussurra para si mesmo: Por mais dura que seja a tarefa, nunca vou desistir do que é meu por direito. O tribunal todo então se desloca e senta ao redor da pedra, tal como se diante de um oráculo. A voz da pedra lhes diz o que cada homem disse, e o caso se resolve e a justiça é feita. Na natureza do garoto ficcional que cresce e se torna o homem mais sábio de seu tempo distinguem-se indícios de uma personagem que prefigura Jesus ou Salomão.

A outra narrativa é uma descrição de uma excursão escolar aos pântanos de Ondiri em Kikuyu. De fato, nada acontece: estudantes reúnem-se no terreno da escola, caminham, chegam, comem e voltam. Mas aprendemos sobre os valores que são louvados: asseamento, pontualidade, cooperação, boas maneiras, aspectos dos novos civismos africano e cristão.

Eu não sabia onde ficavam os pântanos de Ondiri, mas gostava de imaginá-los como um lugar mágico. Caso contrário, por que dedicar páginas inteiras a uma viagem durante a qual nada de fato acontece, na qual não há reviravoltas ou mudanças? Mas embora o livro não me houvesse elevado às alturas que o Velho Testamento me levara, tinha o apelo instantâneo de falar sobre coisas que estavam à minha volta. O livro ensinou-me que era possível escrever sobre lugares-comuns e ainda assim torná-los interessantes.

Sendo um vasto estoque de conhecimentos gerais, Ngandi sempre carregava consigo um jornal, sobretudo o *Mŭmenyereri*, o popular semanário em língua Gĩkũyũ editado por Henry Muoria, bem dobrado e enfiado no bolso externo de sua jaqueta. Ele lia fragmentos a seus ouvintes para provar um argumento, mas sobretudo apenas se referia ao jornal. Ele era uma espécie de erudito itinerante, abrindo seu livro de vasto conhecimento onde quer que deparasse com duas ou três pessoas aglomeradas.

Seu conhecimento se estendia às canções, e ele incrementou meu repertório. Sua favorita era *Venha, amigo, raciocinemos juntos. Pelo bem do futuro de nossas crianças. Que a treva em nosso país termine.* Ele a cantava com uma voz trêmula, que eu não conseguia reproduzir, uma melodia que corria abaixo das palavras, mas ele pareceu orgulhoso quando seu pupilo demonstrou o que ele lhe ensinara, não importando a qualidade do cantar. Eu fui uma descoberta para ele. Ngandi gostava de me apresentar em alguns encontros, dramatizando o fato de que, além de cantar, eu sabia ler a Bíblia, o *Mũmenyereri* e *Mwendwo nĩ Irĩ na Irĩri* fluentemente.

Não sei quando ou como ocorreu, mas vim a perceber que os adultos estavam prolongando a duração das canções que eu principiava, acrescendo-as de mais versos. Eles cantavam uma canção de novo e de novo e então passavam a outras canções. Eu era meramente um gatilho. Ao longo do tempo, temas outros que não os puramente educacionais se esgueiravam nas canções, assim como nomes comoWaiyaki wa Hinga, Mbiyũ Koinange e Jomo Kenyatta.

> *Njamba ĩrĩa nene Kenyatta*
> *Rĩu nĩ oimire Rũraya*
> *Jomo nĩ oimĩte na thome*
> *Ningĩ Jomo mũthigani witũ*

> *Kenyatta, nosso grande herói,*
> *Agora voltou da Europa.*
> *Voltou pelo portão principal (Mombasa).*
> *Jomo foi os olhos de nosso povo.*

Ngandi com frequência adicionava informações contextualizadas sobre figuras e incidentes históricos, mencionadas como se ele as conhecesse pessoalmente ou houvesse estado presente quando determinadas coisas ocorreram na África, na Europa e na América. Ele até mesmo falava sobre personagens já sepultados — Waiyaki, por exemplo. Waiyaki wa Hinga era o líder supremo dos Gĩkũyũ de Kiambu do sul quando os europeus aportaram em Dagoretti em 1887. Em 1890 ele recebeu o capitão Lugard em Dagoretti, onde prestaram um juramento solene de irmandade entre os dois povos.

Os seguidores de Lugard romperam o juramento, construíram o Fort Smith e deixaram claro, com suas ações hostis, que haviam chegado para conquistar. Waiyaki levantou a resistência da lança contra a arma de fogo, mas a arma venceu; ele foi capturado e enterrado vivo em Kibwezi. Se você tivesse ouvido Ngandi contar o destino de Waiyaki, teria acreditado que Ngandi havia estado lá ouvindo o último pronunciamento desafiador de Waiyaki segundo o qual ele voltaria em forma do espírito de seu povo para assombrar os brancos até que deixassem o Quênia. O último pedido de Waiyaki em 1891, para que pegassem em armas e defendessem a terra, era o primeiro artigo de fé política e legal de Ngandi. O outro era a Declaração de Devonshire de 1923, segundo a qual o Quênia era um país de povo africano e os interesses dos nativos africanos deviam ser os primordiais. A declaração era um reconhecimento da retidão das últimas palavras de Waiyaki, dizia Ngandi, indicando que Waiyaki era um profeta. Ngandi tinha um pendor para introduzir debates e inflamar discussões sobre temas que abarcavam desde terra, educação e religião até personalidades como Mbiyũ Koinange e Jomo Kenyatta. Ele frequentemente via a mão do destino nos números, nas coincidências e até mesmo nas datas: por exemplo, o fato de que ambos os homens haviam ido ao estrangeiro com diferença de um ano após o outro, Mbiyũ aos Estados Unidos em 1927 e Kenyatta à Inglaterra em 1929, para ele era um claro sinal de que os caminhos deles se cruzariam.

Kenyatta fora ao estrangeiro antes de eu nascer, enviado para ser a voz da Kikuyu Central Association. A KCA, embora sucessora da East African Association de Harry Thuku, somente podia registrar-se como corporação regional, já que o Estado colonial não mais autorizava quaisquer organizações africanas nacionais. Kenyatta regressara brevemente antes de retornar à Inglaterra em 1931, onde permaneceu por quinze anos representando a KCA, mesmo quando foi interditada em 1941 na ausência dele. Ao longo dessa trajetória, ele se tornara um nacionalista e um pan-africanista. Ele dissera aos britânicos no país deles: O Quênia é um país de povo africano, legado a nós por nossos antepassados, e ninguém pode tirá-lo de nós. Após desembarcar do navio em Mombasa em 1946, ele se inclinou e levou um punhado de terra queniana até seu peito; nascia o mito. Ele escrevera o livro *Facing Mount Kenya* [Encarando o Monte Quênia], e ainda outro, *Kenya: The Land of Conflict* [Quênia: a terra do conflito].

Quanto a Mbiyū, ele não recebera apenas instrução; ele era o homem mais culto do mundo, insistiam alguns. As pessoas alegavam que, quando ele falava inglês, até os donos da língua tinham que consultar um dicionário. Os dois gigantes cultos eram rivais. Não, os dois gigantes eram amigos do peito: Kenyatta tinha até mesmo se casado com a irmã de Mbiyū. Mas Kenyatta não tinha se casado com uma mulher inglesa na Inglaterra? Tantas histórias, tantos mitos.

Ngandi, que alegava ter lido *Kenya: The Land of Conflict*, tentou dar sentido a isso tudo diante de seu círculo de admiradores. Mas até mesmo ele parecia em conflito quanto a quem dos dois era o maior. A sabedoria de Kenyatta lhe fora dada no nascimento; o conhecimento de Mbiyū fora adquirido nos livros. A sabedoria era uma dádiva de Deus, a aprendizagem uma dádiva do homem, e era por isso que Mbiyū sempre acatava Kenyatta. Veem? Mbiyū é o fundador da Kenya Teachers' College, mas quando Kenyatta regressa da Inglaterra em 1946, o que Mbiyū faz? Coloca Kenyatta de diretor. Toda a questão da autonomia, isso vem de Mbiyū. Ele tem o espírito, a mão, mas não a voz. Jomo tem o espírito, a voz, mas não a mão. Vejam, uma grande luta é sempre liderada por uma dupla: Gandhi e Nehru; Mao e Chou En-Lai. Moisés e Aarão. A mão do gênio e a voz do gênio. Sem uma, não há a outra. Mbiyū e Kenyatta haviam sobrevivido à Segunda Guerra Mundial, e havia razão para que o destino houvesse arranjado que regressassem à sua terra, um deles pouco antes do começo da guerra, e o outro, logo após o fim da guerra. Regressaram para conduzir o Quênia da escravidão para a terra prometida. A viagem à terra prometida não era fácil; era cheia de provações e tribulações, lágrimas, e até mesmo sangue! O sofrimento de Ole Ngurueni era parte do padrão. Foi Ngandi, através de suas falas sobre a resistência dos posseiros e outros relatos, imaginados ou selecionados a partir de jornais, quem transmitiu e reforçou em mim a sensação de que algo incomum, algo de proporções bíblicas, se agitava na terra. Mas isso também se podia sentir nos cochichos sobre ocorridos e nos indícios de outros por vir, com Nairóbi no centro. Fatos e boatos geravam mais fatos e boatos, em rápida sucessão. Bastante dramático foi o novo boato de que todos os trabalhadores do Quênia haviam se juntado sob as asas da East African Trade Union Congress; de que haviam convocado greve geral em retaliação à concessão de um decreto régio a Nairóbi, em 1950, que elevava seu estatuto de "municipalidade" para "cidade". A palavra "cidade" tornou-se ominosa, maléfica, ameaçadora. De que forma Nairóbi, a cidade, se diferenciaria da Nairóbi município, da qual meu pai antigamente fugira; da Nairóbi de onde saíram os caminhões do Exército que vieram atingir a casa de minha mãe; da Nairóbi onde minha mãe e eu passeáramos após meus olhos terem sido curados no King George VI Hospital?

O decreto régio significaria que os africanos seriam removidos do município e das áreas circunjacentes a Nairóbi, tal como acontecera ao povo negro na África do Sul, explicou Ngandi friamente. Lembrem-se de que os bôeres do Quênia saíram da África do Sul para vir para cá. Expulsaram os habitantes de Ole Ngurueni em 1948 justamente quando os bôeres da África do Sul estavam fazendo o mesmo com o povo negro. O povo branco tinha um grande plano para fazer da África, do Cabo até o Cairo, inteira deles. Foi Cecil Rhodes, proprietário de diamantes e ouro roubados na África do Sul, quem originalmente tramou o perverso projeto, Ngandi dissertou. Nos anos 1930, havia uma sociedade secreta de homens brancos sediada no Quênia conspirando para matar bebês negros no nascimento, exceto uns poucos de corpo forte para a mão de obra, mas de inteligência débil e incapazes de opor resistência. Ela foi chamada de Sociedade Eugênica (Kiama Kia Njini), que minha imaginação registrava como sendo uma sociedade de brancos incendiários, ogros comedores de homens, do tipo que Kabae e outros haviam combatido na Segunda Guerra Mundial. E agora, esse decreto régio para remover os negros da cidade e das terras remanescentes contrárias à Declaração de Devonshire de 1923! A raça branca era contra a raça negra, embora ele, Ngandi, fizesse exceções a pessoas como Fenner Brockway, membro do Parlamento inglês pelo Partido Trabalhista. Durante o resto do tempo, a narrativa de Ngandi desenhava a imagem de um reptiliano demônio branco e invasor ameaçando engolir-nos todos. Mas combatendo esse grande plano branco sob as sombras da história havia homens jovens, alguns dos quais já haviam confrontado homens brancos durante a guerra e sobre eles triunfado, ainda que em proveito dos britânicos. Imitando o espírito de Waiyaki, eles agora defendiam o Quênia e a África. A luta contra o grande plano dos brancos foi circunscrita na briga que agora se desenrolava contra o decreto régio. Houvera a grande greve de Mombasa em 1947, explicou Ngandi, mas a presente batalha nas ruas de Nairóbi em 1950, depois de os trabalhadores terem entrado em greve, era de novo mais reminiscente da luta durante os tempos de Harry Thuku, em 1922, que resultara na Declaração de Devonshire, sugerindo que uma declaração ainda mais momentosa poderia emergir dessa luta. Na época, em 1922, bem como agora, em 1950, o povo rural forneceu comida aos grevistas e acolheu em suas casas os trabalhadores que escaparam da brutalidade das forças do governo.

Alguns dos que tomaram parte na greve de 1950 contra o decreto régio eram de Limuru e trouxeram consigo novos cochichos e boatos sobre Bildad Kaggia, Fred Kubai, Chege Kibachia, George Ndegwa, Achieng Oneko, Dedan Mugo e Paul Ngei, entre outros. Os nomes residiam num espaço entre o real e o irreal, a História e as histórias, e eu os adicionei ao meu panteão de heróis míticos. Mas os jovens homens e mulheres que contavam sobre o turbilhão nas ruas de Nairóbi eram de carne e osso: pareciam sérios e determinados em suas palavras e condutas. Eu era um solícito beneficiário de seus relatos de audazes e apertadas fugas, de triunfos e desastres, evidenciando uma vontade dificultada pelo infortúnio. Sim, Waiyaki perseverava.

Comecei a interpretar biblicamente os eventos e as anedotas. Havia a história de um profeta indiano que tinha retornado ao Quênia e surgira diante de uma multidão no Kaloleni Hall para dizer que já era hora de o povo branco partir e deixar os africanos governarem a si mesmos. Ele fora preso, e perante o juiz dissera a mesma coisa: os africanos podem governar a si mesmos. Palavras estas que nunca haviam sido ditas de forma tão direta. O nome dele era Makhan Singh. Aparentemente, aquela não fora sua primeira vez no Quênia; toda vez que vinha ao país, suas palavras faziam algo importante acontecer, greves, principalmente. Ngandi foi tão longe a ponto de alegar que Singh começou a profetizar já aos treze anos de idade, recém-chegado em Nairóbi em 1927, no mesmo ano em que o jovem Mbiyũ partira para os Estados Unidos. O governo colonial o bania, o deportava para a Índia, mas mais uma vez ele se esgueirava de volta. Porém, dessa vez, seu local de nascimento havia desaparecido misteriosamente, uma parte sendo a Índia e a outra o Paquistão, e nenhum dos países aceitaria um profeta tão perigoso entre seu povo. O governador Philip Mitchell, conforme ordens de Londres, fez com que o tirassem depressa da sala do tribunal e o desterrassem no deserto, onde sua voz não poderia ser ouvida. Mas Singh certamente reapareceria e então algo momentoso aconteceria, tal como antes, conforme evidenciado pelas greves. Havia rumores sobre um movimento rural que levaria à realização de sua profecia. E então, em agosto de 1950, o governo anunciou que um movimento secreto chamado Mau Mau havia sido proibido.

Na minha cabeça, e porque o nome deles estava por toda parte nas canções que cantávamos, eu associava a dupla genial Koinange e Kenyatta a tudo que estava acontecendo no país: à profecia do homem indiano, especialmente depois que Ngandi apontou a estranha coincidência da chegada da criança-profeta em 1927 e da partida de Mbiyū para os Estados Unidos no mesmo ano; às mulheres de Ole Ngurueni que cantavam que, ao chegarem em Yatta, haviam recebido um telegrama de Kenyatta, que estava em Gīthūngūri, indagando se elas haviam chegado em segurança; aos trabalhadores em greve em várias partes do país; e, agora, ao movimento secreto. Na minha imaginação, o Kenyatta e o Koinange das canções e das falas de Ngandi tornaram-se personagens ficcionais, heroicos. Eu imaginava um milhão de olhos quenianos no gigantesco rosto de Kenyatta. Eu ansiava por conhecer a dupla, da mesma maneira que alguém espera cruzar o caminho de um personagem ficcional favorito na vida real, mesmo sabendo perfeitamente bem que tal encontro é impossível.

Tive sorte com Mbiyū. Minha irmã mais velha, Gathoni, era casada com Kīariī, que havia perdido seu emprego na fábrica de calçados Bata de Limuru após a greve de 1947. Viviam em Kīambaa, perto da terra de propriedade do lendário Chefe Supremo Koinange. O pai de Kīariī cuidava do extenso pomar de ameixas e peras de Koinange. Meu irmão caçula e eu costumávamos visitar nossa irmã para tomar conta do primeiro filho dela, Wanjirū. A casa de minha irmã ficava também muito próxima da de Charles Karūga Koinange, o irmão caçula de Mbiyū. A esposa de Karūga, Nduta, e Gathoni, minha irmã, estavam em relações de visita, e foi assim que conheci Wilfred e Wanduga, filhos de Charles Karūga Koinange. Wilfred e eu estávamos na mesma série, embora em escolas diferentes, em regiões diferentes. Ele e eu amávamos a escola. Então tínhamos muito em comum. Anos depois, no começo dos anos 1960, eu viria a encontrá-lo na Makerere University College, em Kampala, onde ele estudava medicina, e eu, inglês. Mas à época de nossa juventude e apesar de nossa amizade embrionária, ele não tinha o que eu desejava: o poder e a inteligência para conjurar Mbiyũ dos domínios da ficção.

E então uma oportunidade se apresentou. Meu irmão caçula e eu estávamos na casa de minha irmã no mesmo momento. Andávamos por um caminho estreito com sebes vivas em ambos os lados e atrás dos quais havia densa plantação de milho verde, quando ouvimos duas mulheres conversando e apontando para uma pessoa que ia na mesma direção que a nossa, mas que já estava à nossa frente. É ele, diziam elas. O filho de Koinange, o Mbiyũ em carne e osso. Ele provavelmente estava regressando a sua casa após uma visita a seu irmão Charles, ou talvez estivesse dando um passeio em volta da enorme propriedade de seu pai. Aquela era nossa chance, disse eu ao meu irmão caçula, que não estava tão obcecado quanto eu por uma pessoa em terno cinza caminhando pensativa ao longo de um caminho rural, afastando-se de nós. Mas ele sempre ficava disposto quando se tratava de alguma aventura. Vamos nos assegurar. Vamos saudá-lo. Um tomando coragem com o outro, disparamos por trás de uma sebe e corremos pelos milharais. Assegurando que o havíamos ultrapassado, emergimos das sebes para dentro do caminho, andando na direção dele. Como vai, Mbiyũ wa Koinange?, exclamamos em uníssono. Ele pareceu ter ficado um pouco desconcertado, e então disse: Estou bem. Não esperamos por mais nada. Corremos, gritando: Sim, é ele! Mas eu estava um pouco decepcionado. Ele parecia uma figura menos imponente do que o Mbiyũ de minha imaginação e da descrição de Ngandi. A mente pode pregar peças; quando meses depois, em 1951, ouvi dizer de canções cantadas por multidões da Kenya African Union (KAU) no Kaloleni Hall, em Nairóbi, conforme enviavam Mbiyũ e Achieng Oneko à Inglaterra para exprimir suas queixas, o Mbiyũ de minha imaginação voltou, muito diferente daquele que eu vira caminhando naquele dia.

Talvez o Kenyatta real, quando e onde quer que eu viesse a conhecê-lo, correspondesse ao Kenyatta das lendas. Mas sua casa ficava muito distante, em Gatũndũ, e nessa região eu não tinha parentes casados. Era improvável que algum dia viesse a estar numa posição de interceptá-lo vestido num terno cinza passeando sozinho, pensativo, num caminho rural através de milharais.

Então eu ouvi de Ngandi, que parecia saber de tudo, que Jomo Kenyatta estava vindo para Limuru. Não sabia o dia, a semana ou o mês. Mas eu estava certo de uma coisa: não deixaria a chance me escapar. Não contei a ninguém. Simplesmente comecei a frequentar a loja de mobílias de meu irmão mais velho no mercado africano de Limuru.

19

Wallace Mwangi, ou "Bom Wallace", como ele passava a ser conhecido, foi o primeiro grande sucesso de minha mãe. Ele nasceu em 1930 e mais tarde frequentou a escola Manguo por alguns anos, começando em 1945. Wallace tinha hábitos de estudo interessantes, especialmente antes de uma prova: ele estudava a noite inteira à luz de um lampião de querosene, com os pés enfiados em uma bacia de água fria para se manter acordado, mas eu suspeito que a privação de sono não contribuía muito para um bom desempenho. Ele tentava vender essa teoria e essa prática para quem se dispusesse a ouvi-lo. A mim ele não persuadiu. Com meu histórico de vista ruim, eu abominava a mera ideia de estudar a noite inteira à luz de um lampião com os pés na água fria, mas ele nunca desistiu de tentar me convencer. Minha mãe, que pagava a mensalidade dele, não interferia em seus esforços escolares, exceto uma vez quando ele anunciou que tencionava se tornar escoteiro-mirim. Em Gĩkũyũ, a palavra "escoteiro" soava como *thikauti*, ou *thika hiti*, aos ouvidos de minha mãe, e alguém deve ter confirmado seus piores medos — que meu irmão iria se tornar um "sepultador de hienas mortas". Ela implorou, ameaçou e não quis ouvir explicações. Minha mãe simplesmente não conseguia imaginar o filho se tornando um carpideiro e sepultador profissional de hienas mortas. Duvido que, para ela, algum outro animal fosse mais tolerável, mas as hienas eram o pior personagem nas histórias: avarentas, imundas, e se alimentavam de restos humanos. Eu não sei se foi porque ele cedeu às preocupações de minha mãe ou porque deixou a escola algum tempo depois, mas Wallace nunca se tornou escoteiro.

Talvez isso tenha feito persistir em meu irmão um desejo que ele procurou satisfazer indiretamente por meio da moça por quem se apaixonou e com quem veio a se casar. Charity Wanjikũ nasceu em 1935 na aldeia Kĩmuga, Kĩambaa, perto das casas de minha irmã Gathoni e de Charles Koinange. Ela estudava na escola da Sociedade Missionária da Igreja de Kĩambaa, onde fazia parte do grupo de moças-guia. Mesmo quando não estava de uniforme Charity costumava usar uma boina azul, o que deixava os rapazes de Limuru possessos de inveja e admiração. Wallace arranjou uma moça-guia, sussurravam ou até diziam alto. Eles a apelidaram de Rendy ya Banana, a "Moça das Colinas da Banana", porque o local das bananas, que ficava na estrada entre Nairóbi e Limuru, era mais conhecido e soava mais esotérico que Kĩmuga ou Kĩambaa, cujos nomes pareciam de aldeias vizinhas. Isso foi anos depois, é claro, em 1954, e minha mãe não fez objeções em ter uma moça-guia como nora, porque aquele título não soava como "escoteiro-mirim".

Agora, aliviada e até grata pelo filho ter apaziguado suas preocupações, minha mãe financiava outros sonhos dele, vendendo por vezes seguidas algum bode que estivesse na engorda ou as acácias negras que ela plantava em um dos seus trechos de terra.

Após sair da escola ele se juntou aos serviços legais e de secretariado de Kabae como aprendiz de datilógrafo. Seu inglês não era bom o bastante para criar demanda por seus serviços de secretário, mas, seja lá o que fizesse, ele sempre contribuía com alguma coisinha. Wallace arriscou-se na invenção de uma máquina de escrever feita de madeira que, segundo dizia, seria mais rápida e menos barulhenta que a Remington de Kabae. Ele abandonou ambos os projetos e se tornou aprendiz de um carpinteiro, Joseph Njoroge, mais ou menos da sua idade. O aprendizado deveria durar vários anos, mas depois de apenas uns poucos meses meu irmão já tinha começado a fazer algumas coisas por conta própria. Ali seus talentos criativos e seus poderes de persuasão se reuniram, e logo ele tinha mais clientes que o mestre carpinteiro. Ele fez algo que nenhum artesão africano da área fizera. Alugou o quintal de uma loja indiana de propriedade de Govji, ou Ngūnji na forma Gīkūyū, onde ele fabricava e exibia camas e cadeiras, competindo com os artesãos indianos, mais experientes e habilidosos. Seu negócio continuou a se expandir e ele alugou um quintal maior ainda, a meio caminho entre as lojas indianas e as africanas. O espaço pertencia a Karabu, que era do ramo de transportes, e que perdera uma das pernas em um acidente na estrada. Por essa época o Bom Wallace estava até contratando ocasionalmente os serviços de Joseph Njoroge, o mestre carpinteiro. O dono do lugar ficou ressentido com o sucesso do meu irmão e tentou enxotá-lo aumentando o aluguel exageradamente. Ele por fim conseguiu expulsá-lo alegando que precisava do espaço para uso próprio. Meu irmão acabou alugando um imóvel no mercado de Limuru, onde estabeleceu a oficina e a loja de móveis.

Entre seus aprendizes estava Kahanya wa Njue, um de seus amigos mais próximos, cujo irmão mais velho, Karanja, o motorista, ou simplesmente Ndereba, como era conhecido, tinha se casado com minha meia-irmã Nyagaki, a terceira filha de Gacoki. Kahanya também estudara na escola Manguo, mas largara os estudos depois de bater no professor Wahinya, muito mais jovem que ele, que tentara discipliná-lo. Ao contrário de outros aprendizes que pagavam para aprender, Kahanya era pago pelo seu trabalho. Ele e meu irmão Wallace eram amigos realmente inseparáveis. Eles se mudaram para o novo local juntos, e Kahanya acabou se tornando seu assistente, embora nunca viesse a ser tão bom quanto o mestre carpinteiro Njoroge.

Eu visitava frequentemente a loja de meu irmão quando ela ficava na área das lojas indianas e, depois, no espaço de Karabu,

SONHOS EM TEMPO DE GUERRA 147

mas não com a regularidade com que eu a visitava agora que procurava uma oportunidade de conhecer Kenyatta. A escola Manguo não ficava longe do mercado, e na hora do almoço eu corria até lá e voltava a tempo das aulas da tarde. O mercado fervilhava com artesãos de todo tipo: sapateiros; mecânicos de bicicleta e de veículos motorizados; fabricantes de utensílios de alumínio, braseiros e outras engenhocas domésticas; e alfaiates com barulhentas máquinas de costura Singer.

Assim como os operários da fábrica de calçados Bata visitavam nossa casa com frequência, de olho nas moças, também faziam-no os membros da categoria dos artesãos. Eram trabalhadores autônomos e independentes, e por isso estavam um degrau acima da classe operária como bons partidos. Foi assim que o bem-humorado sapateiro e extravagante dançarino Gatanjeru, filho de Mariu, conquistou o coração de minha meia-irmã Minneh Wanjirũ wa Gacoki; que o sr. Wanjohi Lavadeiro conquistou o da bela Mũmbi, filha de Baba Mũkũrũ; e que o religioso alfaiate Willie Ng'ang'a conquistou o coração de outra meia-irmã, a igualmente religiosa Wambũkũ wa Njeri, vencendo uma grande multidão de pretendentes. Mas os operários, incluindo os empregados nos restaurantes e açougues do mercado, atraíam sua cota de corações enamorados.

Em uma das esquinas ficava a loja e restaurante de Kĩmũchũ. O Tio Kĩmũchũ era o filho mais velho de uma das mulheres que meu avô herdara após a morte de seu parente Ndũng'ũ. O Tio Gĩcini, que agora já tinha deixado Kamandũra, trabalhava lá.

De vez em quando o Bom Wallace me dava alguns centavos. Eu corria até o restaurante do Tio Kĩmũchũ para comprar *mandazi*, ou *matumbuya*, como nós chamávamos, uma espécie de massa frita, quentinha, saída do óleo. O restaurante de Kĩmũchũ era bastante popular. Lá havia uma pilha de jornais *Mũmenyereri*, mas nenhum vendedor à vista. As pessoas simplesmente pegavam um exemplar e deixavam o dinheiro certo, ou pegavam o troco certo. O próprio

Kīmūchū, obeso, de pele clara, estava quase sempre atrás do balcão em sua loja vizinha, e eu tinha a impressão de que ele não sabia quem eu era, pois nunca acenava para mim em reconhecimento.

Eu desfrutava aqueles dias que passava esperando por Kenyatta na oficina do meu irmão. Passei a gostar do cheiro de madeira, envernizada ou não. Gostava de arrastar os pés pelas aparas de madeira e pela serragem espalhada pelo assoalho. Vim a apreciar as exigências musculares e imaginativas da carpintaria. Notei o quão meticuloso meu irmão era com tudo: projeto e acabamento. Ele trabalhava em algo, e bem quando eu achava que tinha terminado, ele voltava ao trabalho e ficava mexendo e mexendo até atingir o nível de refinamento que desejava. O que quer que ele fizesse, era singular. Ele tentou incutir essa ética de trabalho nos empregados, incluindo seu amigo e assistente Kahanya, mas eles não tinham aquela paciência. Ele persistia, inculcando neles a importância de satisfazer os fregueses, conquistar sua boa vontade, transformá-los em bons embaixadores da loja. Ele liderava pelo exemplo.

Eu queria aprender carpintaria, especialmente tudo que envolvesse o uso da serra, da plaina, da marreta, do martelo e dos pregos. Mas meu irmão não me deixava mexer em suas ferramentas. Eu achava injusto ele permitir que meu irmão caçula mexesse nelas com muito mais liberdade. Era como se estivesse agindo deliberadamente para frustrar o meu interesse em carpintaria. Caso eu insistisse, ele me dava a lixa para passar em algumas cadeiras ou numa mesa — uma tarefa muito tediosa, repetitiva. O padrão requerido, assim me parecia, era prerrogativa do juiz, e meu irmão era um juiz muito exigente. Ele gostava mais quando eu estava segurando um livro ou um jornal. Então ele chamava a atenção dos amigos para o que eu estava fazendo.

Eu não me importava. Tinha meus próprios planos. Estava esperando por Kenyatta. Foi durante esse período que tive a chance de andar de bicicleta pela primeira vez. Os jovens, fossem meninas ou meninos, que quisessem aprender a andar tinham que esperar a visita acidental de algum parente que tivesse bicicleta. Conforme as visitas comiam e bebiam, os jovens discretamente "pegavam emprestada" a bicicleta para dar uma volta, enquanto os irmãos e irmãs admirados seguiam atrás, esperando a vez. Seguiam-se acidentes, que resultavam em surras quando os machucados ou as avarias à bicicleta forçavam os culpados a confessar. Mas aquilo não os desencorajava.

Eu sempre quisera andar de bicicleta, mas ninguém que conhecia tinha uma. Então meu meio-irmão Mwangi wa Gacoki, alfaiate, alugou dependências perto da loja de móveis do meio-irmão e abriu uma mercearia. Ele ficava indo da alfaiataria para a mercearia, o que era bem puxado. A pedido dele, eu ia para a mercearia ajudar sempre que não estava na escola, o que era mais um motivo para eu ir ao mercado. Mwangi era casado com Elizabeth, irmã de Patrick Mūrage Cege, meu colega de estudo em Manguo, com quem eu fizera amizade.

Não sei como Mūrage conseguiu uma bicicleta de rapaz, uma posse rara, do tipo que só tínhamos visto entre os jovens indianos. Ele decidira ganhar algum dinheiro alugando-a por uma distância fixa, alguns centavos por corrida. Eu não tinha o dinheiro necessário, e assim, sempre que ele vinha à loja de seu meio-irmão, implorava para que ele me deixasse andar de graça na sua bicicleta. Mas ele não deixava a amizade interferir no comércio. Um dia eu dei a ele algumas balas da loja, de graça. Não considerava aquilo um roubo, já que havia um monte na grande jarra de vidro, e além disso eu não era pago pelo meu trabalho e, assim me convenci, a loja em parte também era dele, porque pertencia ao seu cunhado. Em troca das balas, ele me deixou andar na bicicleta.

Depois de me mostrar como segurar no guidão e de me garantir que pedalar era fácil como beber água usando uma cabaça, ele segurou a bicicleta enquanto eu subia. Então ele a soltou sem me avisar. Quando comecei a pedalar, entrei em pânico. Olhei para trás e, em segundos, a bicicleta saiu da pista ao lado da loja de Mwangi e começou a descer a encosta em direção aos edifícios do outro lado da estrada. Eu não sabia manobrar. Meus pés escorregaram dos pedais. Eu estava paralisado de medo. Segurei o guidão, as pernas para o ar. A bicicleta ia ganhando velocidade. Eu tinha certeza de que ia atingir a parede e então, subitamente — *bam!* — acertei dois passantes em cheio. Eles caíram, eu caí e a bicicleta ficou no chão, alguns metros à frente, com os pneus girando. Minhas vítimas se levantaram, sacudiram a poeira, se contendo para não me darem uma surra. Por sorte, ninguém se feriu. Não me importei com meus machucados porque tinha escapado de um destino pior. Bem lá no fundo, no entanto, achei que a queda tinha sido um castigo pelas balas que eu roubara.

Não tratei as feridas do corpo ou do orgulho por muito tempo; logo aconteceu outra coisa que arrebatou minha atenção. Em uma loja de chá chamada Green Hotel, a uns poucos metros de distância, do mesmo lado da oficina e da mercearia, havia um rádio com um alto-falante, o único da cidade. Antes as pessoas confiavam nos leitores do *Mūmenyereri*, tal como meu amigo Ngandi, para retransmitir as notícias para pequenos grupos, que por sua vez as espalhavam ainda mais longe no boca a boca. Agora as pessoas se amontoavam dentro e fora da loja de chá para escutar o locutor Mbūrū Matemo ler as notícias numa voz que aumentava e abaixava. Ele gritava e sussurrava para obter efeito dramático. Seus ouvintes cresciam a cada dia, pois o invisível Mbūrū Matemo estava sempre a postos na hora do almoço, que era quando todo o trabalho no mercado parava.

Foi no rádio que soubemos, no começo de outubro de 1952, que o Chefe Supremo Warūhiū tinha sido assassinado no que Mbūrū Matemo descreveu como um atentado ao estilo dos gângsteres de Chicago: um carro seguiu o chefe, então parou ao lado, algumas pessoas vestidas em uniformes de polícia falsos pediram educadamente que o chefe se identificasse e então o crivaram de balas antes de sair a toda, e tudo isso em plena luz do dia. Alguns dias depois nós ouvimos que Kenyatta tinha discursado para uma aglomeração gigantesca de pessoas em Kĩambu, denunciando o Mau Mau com a expressão: "Que desapareçam sob as raízes das árvores Mikongoe" (*Mau Mau irothii na miri ya mikongoe*). Talvez Kenyatta estivesse lentamente abrindo caminho até Limuru, afinal de contas. E então, em 20 de outubro de 1952, veio o choque: Jomo Kenyatta, Bildad Kaggia, Fred Kubai, Paul Ngei, Achieng Oneko, Kũng'ũ Karumba e outros líderes haviam sido presos na Operação Jock Scott. Kenyatta tinha sido levado de Gatũndũ até Lokitaung, em Turkana, longe de Nairóbi. O governador Evelyn Baring, que assumira recentemente após o governador anterior, Philip Mitchell, declarara estado de emergência. As coisas pareciam estar ficando mais sérias.

Todos os governadores coloniais desde Eliot em 1902 até Mitchell em 1944 tinham cometido algum crime contra nós, lamentava Ngandi, mas aquela era a primeira vez que um governador havia declarado guerra ao próprio povo queniano alguns dias após sua chegada. É claro que o governador Baring estava recebendo ordens de seu chefe em Londres, o próprio Churchill, que era, afinal, o primeiro-ministro. Você percebe a ironia? Nosso pessoal o ajudou a combater Hitler, e como é que ele nos recompensa?

Ngandi não havia lutado na Segunda Guerra, mas meu meio-irmão Kabae havia. Eu me lembrei dele dizendo que o mundo jamais saberia o quanto os africanos haviam contribuído para o esforço de guerra. Eu quase não o via mais depois que saí da casa de meu pai, e me perguntei o que ele diria agora sobre a declaração de guerra contra nós, conforme Ngandi expressara. E será que os soldados que o tinham acompanhado até em casa naquela noite havia tanto tempo também se sentiam como Ngandi diante dessa situação?

Ali estava outra violação da Declaração de Devonshire que Ngandi tanto amava. As coisas agora iriam de mal a pior antes de poderem melhorar. Ngandi tentou explicar a gravidade da situação atacando a suspensão de leis e liberdades civis — não que existissem muitas liberdades civis para africanos, mas as poucas que existiam agora estavam sendo revogadas pela lei marcial. Ele até mencionou outros lugares em que o estado de emergência havia sido declarado. Os ingleses tinham feito o mesmo na Irlanda em 1939 e em Malaia em 1948. Muito funestamente, entoou ele, Adolf Hitler fizera o mesmo na Alemanha em 1933. E o que viera depois? A guerra. Campos de concentração.

Como que para confirmar as suspeitas de Ngandi, o rádio logo passou a informar sobre o desembarque de tropas inglesas, Fuzileiros de Lancashire, em Nairóbi, ou, segundo a colocação de Ngandi, um "comboio" de aviões militares ingleses pousara em Eastleigh para fortalecer as tropas coloniais existentes. Algumas pessoas alegavam ter de fato visto os recém-chegados patrulhando as ruas de Nairóbi, armados com equipamentos assustadores. A máquina de guerra que um dia enfrentara Hitler agora se voltava contra nós, lamentou Ngandi.

A prisão de Jomo Kenyatta pode ter sido um golpe para o público, mas para mim foi algo pessoal. Aquilo me privara de meu motivo para ir ao mercado com tanta assiduidade. Apesar de minhas esperanças frustradas, aqueles eventos, até mesmo a chegada de batalhões ingleses, pareciam grandemente abstratos, como se acontecessem numa terra enevoada e longínqua, tal qual uma história num cenário distante que se alternava entre sonho e pesadelo. O que Ngandi mencionara sobre estados de emergência em outras partes, sobre campos de concentração, bem como suas assustadoras descrições dos soldados ingleses e das prisões em massa nas ruas de nossa capital, não tornavam a história mais familiar nem mais real — nem mesmo quando ele falou dos homens entrando em Nyandarwa e nas florestas do Monte Quênia, impulsionados pelo espírito de Waiyaki.

E então as coisas começaram a parecer mais próximas. As canções do Mau Mau e todas as referências a Waiyaki, Kenyatta ou Mbiyũ foram criminalizadas. Isso encerrou abruptamente minha vida de trovador. E, mais fundamental ainda, a Kenya Teachers' College em Gĩthũngũri e todas as escolas KISA e Karĩng'a foram interditadas, o que foi um golpe em meus sonhos de educação.

Passei por um período de incerteza intensificado por fatos conflitantes e boatos. Por algum tempo me afastei do mercado Limuru e do rádio no Green Hotel, ficando apenas com as descrições de Ngandi. Mas eu estava acostumado demais à oficina e à loja de móveis de meu irmão para que conseguisse ficar muito tempo afastado do mercado. Além disso, eu agora não frequentava a escola.

Um dia fui ao mercado de Limuru e dei com homens, mulheres e crianças carregando bagagens, amontoados em grupos, parecendo desalentados e perdidos. Todo o mercado e as áreas ao redor estavam ocupados por uma multidão de pessoas sem lar. Eles tinham sido enxotados de trens e caminhões. Aquilo era diferente das expulsões de Ole Ngurueni em 1948, que tinham se restringido aos posseiros. Agora todos os povos Gĩkũyũ, Embu e Meru estavam sendo expulsos do Vale Rift. A mesma cena se passava em muitos outros centros por todo o Quênia central. Como os deportados de Ole Ngurueni anteriormente, a maioria dessa nova leva já havia perdido qualquer lembrança de suas origens ancestrais, pois eram descendentes dos que tinham seu lar no Vale Rift havia muitas eras. Esse processo de desalojamento interno continuou por semanas.

O que eu não sabia então era que minha avó de Elburgon estava sendo desalojada também.

20

Cresci com inveja das crianças que tinham avós a quem podiam visitar, e que às vezes iam visitar os netos levando presentes como bananas maduras, batata-doce, e o presente mais importante, o contato físico e as brincadeiras. É claro que eu tinha muitas avós de criação e avós no sistema familiar expandido dos Gĩkũyũ, em que toda mulher do grupo etário das avós acabava também sendo a avó de todos. Mas eu não podia simplesmente ir até elas, passar a brincar, ou pedir coisas, nem esperar seus abraços e carinhos como se fossem um direito natural. Quando as outras crianças falavam de suas avós, isso só acentuava meu sentimento de perda em relação a meus avós paternos e minha ausente avó materna. Quando tive a chance de embarcar num trem para visitá-la, meus sonhos de ter uma educação atrapalharam, e eu tive que me contentar com as histórias do meu irmão caçula sobre o período glorioso que passara com a Avó Gathoni. Assim, embora me sentisse inquieto quanto aos problemas no Vale Rift, compreendi e aceitei o que havia de bom: minha avó tinha voltado para casa.

Seja lá o que havia causado a separação dos meus avós, ainda devia ser recente, pois ela permaneceu por um breve momento na casa do meu avô depois de sair de Elburgon. Então ela veio ficar conosco no nosso novo lar, onde pude observá-la e conhecê-la de perto.

Seu rosto parecia carrancudo, mas quando ela sorria os vincos sumiam, e por algum tempo era bom me aninhar nela. Mas eu tinha que tomar cuidado. Seu braço esquerdo estava morto e pendia imóvel, insensível, todo ele, até a mão. Quando sentada, ela o segurava o tempo todo com a mão direita, acariciando os dedos inertes. O que aconteceu, Vovó?

Ela não se cansava de contar a história: estava tudo bem com ela antes e mesmo depois de se mudar para Elburgon para morar com seu irmão Daudi Gatune e sua filha, a Titia Wanjirũ, a única irmã de minha mãe, que já havia morrido na época, deixando uma filha grande, Beatrice, e seu filhinho, chamado Ngũgĩ como eu. E então, subitamente aconteceu. Ela não conseguia mais levantar a mão. Ela sentiu a vida em seu lado esquerdo se esvair; podia mesmo sentir a vida escapando das veias. Levaram-na ao hospital, mas os médicos só conseguiram recuperar um pouco das funções. Não conseguiram chegar à raiz do mal. Se ela tivesse dependido apenas do hospital, teria morrido. Mas por sorte um curandeiro tradicional conseguiu penetrar na raiz do mal imediatamente. Uma pessoa ruim havia colocado vários pedaços de vidro quebrado dentro do corpo dela. O curandeiro os retirou. Eu vi os pedaços com os meus próprios olhos, dizia ela, quase embargando a voz ao se lembrar. Uma pilha de cacos de vidro partido. Um tanto assim, dizia ela, erguendo a mão para indicar a altura da pilha. Pedaços de uma garrafa partida, você consegue imaginar? Mas Vó, pedaços de vidro dentro do seu corpo? Sim, duros, com bordas cortantes; ele foi tirando por etapas. Cada vez que eu voltava ele descobria mais pedaços escondidos dentro do meu corpo. Ah, meus filhos, ela me dizia, ele queria me matar, o maligno. E se ela notava alguma dúvida em minha reação, ficava muito chateada.

Hoje suponho que ela tenha tido um derrame fraco, mas na época nós não tínhamos nome para isso, e não tínhamos os fatos com que contradizer aquela história fantástica. Sempre que vejo cacos de vidro me lembro de minha avó e de sua provação. Pois ela deve ter vivido com o terror de que o maligno iria atacar novamente.

Se ela suspeitava que a outra mulher (ou seja lá quem tivesse instaurado a discórdia que levou à separação) fosse o maligno, ela não dizia, embora sugerisse que Mūkami, a esposa mais jovem, tinha vindo de Embu ou Ndia, lugares que, quando saídos de seus lábios, soavam exacerbadamente longínquos. Nada a convencia a aceitar seja lá o que fosse, comida, mesmo água, daquela outra mulher. Seu humor se alternava entre a alegria e o ressentimento. Quando alegre, ela ria, expondo seus dentes brancos, completos e ainda funcionais, e se tornava a avó que eu esperava que fosse. Mas em geral ela era ressentida, como se todos tivessem tomado parte na conspiração maligna, e lhe devessem atenção, piedade e serviços. Quanto mais rabugenta ela ficava, mais o charme de ter uma avó se desgastava.

Ela tinha um poder incrível sobre minha mãe. Nada que minha mãe fizesse parecia apaziguar minha avó e deixá-la de bom humor, o que forçava minha mãe a aumentar seus esforços para cuidar dela, atender suas exigências explícitas e muitas vezes implícitas. Minha avó falava conosco da maneira mais doce e tranquila, mas assim que a filha se aproximava ela instintivamente revertia para sua personalidade ofendida, suspirando e insinuando seu estado de abandono, ou culpando em voz alta o próprio corpo por impedi-la de fazer as coisas sozinha. A tensão foi aumentando na casa.

Para reduzir as brigas entre minha mãe e minha avó, o Bom Wallace construiu outra cabana para minha avó em um local à parte, mas ainda perto de minha mãe, esperando que isso fosse dar alguma independência a minha avó e um pouco de paz a minha mãe. Mas mesmo na nova morada minha avó esperava uma servidão instantânea de minha mãe. A situação foi piorando, e minha avó começou a reclamar aberta e continuamente de abandono. O único outro nome que a fazia ficar ainda mais ressentida e reclamar ainda mais era o do meu avô. Mas eles não se viam muito, e quando se viam as farpas sarcásticas logo voavam da boca de minha avó e seu marido ia embora.

E então a sombra da morte se abateu sobre a casa do meu avô.

A casa de Kīmūchū ficava literalmente do outro lado do terreno de meu avô. Ele estava dando os retoques finais em uma nova casa de pedra, construída perto da antiga, de madeira, com teto de ferro corrugado. Um homem branco, oficial inglês, com uma gangue de paramilitares africanos, foi buscar Kīmūchū certa noite. Sua esposa presumira que ele tinha sido preso da mesma forma que Kenyatta e os outros. Mas quando ela e os outros parentes perguntaram nas delegacias, não obtiveram resposta. Depois de alguns dias, o que acontecera se tornou evidente. Kīmūchū, Njerandi, Elijah Karanja, Mwangi e Nehemiah, alguns dos homens mais proeminentes de Limuru, presos na mesma noite, tinham sido sumariamente executados pelo oficial inglês em um bosque em Kīneniī, a alguns metros da estrada construída pelos Bonos. Ndūng'ū e Njoroge, os filhos de Kīmūchū com a primeira esposa, Wangūi, agora haviam perdido os dois pais.

O terror se abateu sobre nossa região, mas atingiu meu avô com mais força. Ele era o pai de criação de Kīmūchū; eram muito próximos. Meu avô estava convencido de que seria o próximo, que "eles" iriam buscá-lo à noite. Ele buscou abrigo na cabana da minha mãe. Toda noite, sob o véu das trevas, ele se esgueirava para nossa casa. Ver aquele homem tão poderoso, o latifundiário respeitado e tutor de um subclã, sim, meu avô, que escrevia cartas para o governo, em nossa cabana, tremendo de medo do desgoverno colonial, foi minha primeira percepção real da seriedade do estado de emergência. Ele tinha que usar um penico. Senti junto com ele a dolorosa humilhação de ter que usar um penico na cabana da própria filha! Após algumas semanas ele se tranquilizou e voltou a morar normalmente com Mūkami. Mas de vez em quando ele ainda ia procurar abrigo em nossa casa à noite.

Enquanto durou essa luta, minha avó se tornou menos carrancuda, mais simpática. Uma trégua tácita se instaurou entre eles.

Mas depois que ele foi embora e o vulto branco da morte não atacou de novo, a vida voltou ao normal na casa de minha mãe, o que também significava o retorno do azedume da Vovó e do pavor que minha mãe sentia da própria mãe. Minha avó reclamava de ter sido desalojada de Elburgon antes de o curandeiro ter completado sua tarefa. Os cacos de vidro que o curandeiro não removera ainda doíam.

Então houve uma semana em que minha avó tornou-se gentil e amável. Ela se mostrou doce e conciliadora, e eu desejei que ela sempre fosse assim. Ela gracejava um pouco, e ria baixinho. As pessoas podiam falar sobre tudo sem que ela mencionasse os cacos de vidro que um mal desconhecido enfiara nela.

O brutal assassinato de Kīmūchū era sempre mencionado de várias maneiras: O que aconteceria com toda a sua riqueza? Será que sua viúva Phyllis cuidaria de suas posses tendo em vista os interesses igualitários de todas as crianças, os dela e os de criação? Isso levava a discussões sobre Ndũng'ũ, o filho mais velho de Kīmūchū, quase da minha idade, e Njoroge, o irmão mais novo. Ndũng'ũ logo seria homem, disse minha mãe, informando o que supostamente a avó de Ndũng'ũ dissera. Então ele cuidaria da parte da riqueza que lhe cabia.

Minha avó se voltou para mim:

— E esse meu marido aqui? Ele não pode ficar para trás.

Ela me chamava de "seu marido" porque eu tinha o mesmo nome do meu avô. Eu ri, fazendo pouco da conversa de virar homem. Estava concentrado na escola apenas. A ideia de circuncisão nem me passava pela cabeça. Mas por algum motivo ela não se esquecia daquilo, e alguns dias depois retomou o assunto, insistindo que Ndũng'ũ, que tinha minha idade, não podia virar homem e me deixar para trás como criança. Eu tentei distraí-la perguntando mais detalhes sobre a história da remoção dos cacos de vidro do seu corpo. Antes essa isca teria funcionado imediatamente. Mas eu me surpreendi com sua resposta branda.

— Eu não tenho nada contra o maligno — disse ela, e então continuou na mesma linha de raciocínio: — Eu nunca quis o mal de ninguém.

Era como se, perguntando sobre sua condição, eu tivesse induzido nela o perdão e a benevolência geral. Ela continuou a falar com minha mãe e com todos nós sobre como não nutria ressentimento ou raiva de ninguém. E, como que confirmando a verdade do que dizia, deu uma cuspidinha nas mãos e no peito, no gesto Gĩkũyũ de abençoar.

Ela foi para a cama. E nunca mais acordou. Passou serenamente para a outra vida. As lágrimas de minha mãe expressavam profunda tristeza e alívio. Na noite após o enterro, nós nos sentamos ao redor da fogueira, com sombras e luz brincando em nossos rostos.

— Sua avó foi uma boa mulher; foi a doença que a afastou da alegria — disse minha mãe, como que para preencher o vazio que todos sentíamos. Eu realmente senti sua falta. Sentia falta da avó que eu tive e da que eu poderia ter tido.

— Ela não nutria sentimentos ruins a respeito desta casa ou de qualquer outra — continuou minha mãe, lentamente, como se em parte ainda estivesse se convencendo daquilo.

Foi então que compreendi que minha mãe por todo aquele tempo tinha temido que minha avó, em sua amargura contra a vida, tivesse deixado alguma maldição para trás. A maldição dos pais, mesmo que não fosse enunciada em voz alta, poderia surtir efeito em função de palavras ruins que fossem ditas nos últimos dias da pessoa na Terra. Uma maldição também podia suceder se alguém deixasse de cumprir algum desejo expresso antes de morrer. O último desejo é uma ordem premente.

— Ela falou que Ndũng'ũ não pode deixar você para trás — disse minha mãe, virando-se para mim de uma maneira que não admitia acanhamento.

21

A interdição às escolas Karĩng'a e KISA, especialmente a Kenya Teachers' College em Gĩthũngũri, era um ataque real e psicológico contra a iniciativa africana de autonomia. A organização daquelas escolas demandara muito. Mbiyũ Koinange por pouco escapara de ser preso junto com Kenyatta porque calhara de estar na Inglaterra na época, representando a União Africana do Quênia. Muitos outros associados com a faculdade estavam entre os milhares de presos. Mas o golpe mais forte na consciência pública ocorreu quando o Estado colonial transformou a área e os prédios da faculdade em um campo de concentração onde os que opunham resistência ao colonialismo eram enforcados.

Ngandi quase chorou com a notícia. Sua querida *alma mater* transformada num matadouro de nacionalistas? Mas seu perpétuo otimismo reaparecia e ele então afirmava que Mbiyũ não havia sido poupado por Deus à toa. Ele retornaria. Lembra? Da América, ele trouxera Hampton e Tuskegee combinadas; da Inglaterra ele nos trará Oxford e Cambridge. De um jeito ou de outro, Gĩthũngũri seria restaurada.

O fato de Manguo, uma das escolas Karĩng'a, não existir mais me afetou direta e imediatamente. Até então havia dois sistemas de educação moderna paralelos e rivais, o do governo e dos missionários de um lado, e o das escolas africanas independentes, de outro. Eu tinha conseguido passar de uma para a outra. E agora? Não havia escolha. Eu não tinha nem certeza se Kamandũra me aceitaria de volta.

Não sei por quanto tempo vivi com essa incerteza. Mas no ano seguinte, 1953, anunciou-se que algumas escolas Karĩng'a e KISA seriam reabertas sob o controle do governo. Alguns diretores não abriram mão de sua independência e por isso suas escolas não reabriram. Muitos outros não tinham tido aquela opção. Manguo era uma das escolas cuja diretoria tinha concordado em reabrir sob a tutela do Comitê de Educação do Distrito de Kĩambu. A grade curricular seria determinada pelos mestres coloniais.

Os efeitos foram imediatos. Na nova escola Manguo, a música e o teatro morreram. Os festivais esportivos interescolares ficaram na memória. A fanfarra também. A escola deixou de ser o centro das festividades populares. Alguns dos professores mais velhos como Fred Mbũgua perderam o emprego. Stephen Thiro ficou como mestre-escola efetivo enquanto o novo mestre-escola não chegava de Kagumo, uma faculdade aprovada pelo governo.

Houve uma sutil mudança de ênfase no ensino de certas disciplinas como História e Inglês. Na escola antiga, os professores nos ensinavam sobre reis africanos como Shaka e Cetshwayo. Eles nos ensinavam um pouco sobre a conquista dos brancos e sobre as colônias na África do Sul e no Quênia. Mas agora dava-se ênfase aos exploradores brancos como Livingstone, Stanley, Rebman e Krapf. Nós aprendemos em termos positivos sobre o estabelecimento de missões cristãs. Aprendemos que os brancos haviam descoberto o Monte Quênia e muitos dos nossos lagos, incluindo o Vitória. Na escola antiga, o Quênia era um país de negros. Na nova escola, o Quênia, assim como a África do Sul, era representado como um país esparsamente povoado até a chegada dos brancos, que então ocuparam as áreas desabitadas. Onde eles tinham tomado terras africanas, como em Tigoni, em Limuru, os ocupantes prévios haviam sido compensados. Também tinha havido guerras tribais. Os brancos tinham trazido remédios, o progresso, a paz. Os professores, é claro, estavam seguindo a grade curricular aprovada pelo governo, na qual os alunos seriam avaliados no exame final.

Um inspetor europeu, sr. Doran ou algo assim, começou a fazer rondas para garantir obediência ao programa. Suas visitas geralmente não eram anunciadas, e ao chegar ele esperava que os professores corressem até ele e ficassem em posição de sentido por todo o tempo em que ele falasse. Às vezes estacionava o carro um pouco longe e se aproximava da escola sorrateiramente. Ele entrava em uma sala, ficava no fundo, observava enquanto o professor dava aula, então ia até o quadro, pegava o giz e riscava as palavras escritas errado ou as frases com gramática incorreta, e então escrevia as palavras e frases do jeito certo em cima. Havia uma sensação de incômodo geral enquanto os professores tentavam não dar importância ao caso ou até fingiam gratidão. No começo nós em parte ficávamos deliciados de ver alguém fazendo com os professores aquilo que os professores viviam fazendo com a gente, mas à medida que aquilo se tornou um hábito, começamos a partilhar da humilhação dos nossos professores. Podíamos até rir daquilo tudo, e até mesmo conversar a respeito entre nós, mas de fato o fazíamos para esconder nosso constrangimento.

Não sabíamos o quanto levávamos aquilo a sério até que Josephat Karanja, um estudante da Makerere University College, em Uganda, veio lecionar na escola durante suas longas férias. Karanja era de Gĩthũngũri, uma região vizinha. Ele sempre andava meticulosamente vestido em calças cinza, suéter sobre camisa branca e gravata, o cabelo repartido no meio. A princípio ficamos empolgados por ter um aluno da Makerere como professor, mas logo desejamos poder dispensar seus serviços. Ele aplicava com frequência a vara nos estudantes que persistiam nos erros, e até mesmo nos que só erravam ocasionalmente.

Um dia o inspetor branco veio até a escola, parou no pátio e ficou encostado no carro como sempre fazia. Os outros professores correram até ele, mas Karanja não correu. O inspetor deve ter enviado um dos professores para chamar Karanja. Nós pressentimos o drama próximo e, quando Karanja deixou a sala, subimos nas carteiras e espiamos pelas janelas. O inspetor estava pulando de raiva, gesticulando para que Karanja corresse. Nós esperávamos que Karanja fosse ser disciplinado diante de nossos olhos. Mas Karanja não apressou o passo. Até mesmo quando o inspetor gritou "Apresse-se!" o professor Karanja se recusou a alterar o passo. Agora eles estavam cara a cara. O inspetor queria que Karanja o tratasse por "senhor", mas Karanja apenas olhou para ele e então voltou para a sala. Ciente de que muitos olhos o observavam, o oficial ficou por ali mais um minuto e então entrou no carro e foi embora. Nós nunca mais o vimos.

Voltamos a nos sentar, mas quando Karanja entrou, nós nos levantamos, não por medo, mas por admiração. Ele era um herói. Ele tinha restaurado algo que havíamos perdido, o orgulho dos nossos professores, o orgulho de nós mesmos. Esperávamos que ele voltasse. Mas ele não voltou. Foi expulso da Makerere por liderar ou tomar parte em uma greve de estudantes. Ele completou seu mestrado na Índia e então seguiu para Princeton, nos Estados Unidos, e depois alcançaria o sucesso como o primeiro alto-comissário do Quênia independente. Por fim regressou ao país e se tornou um desastroso vice-chanceler da Universidade de Nairóbi subordinado a Kenyatta, e depois, por pouco tempo, foi vice-presidente do ditador Moi. De alguma forma eu sempre me lembro daquele momento na escola primária, no Quênia colonial, quando ele se recusou a curvar-se à humilhação.

Um inspetor africano viria em seguida, James Mũigai, na verdade irmão de criação de Kenyatta, e ele era bem mais amistoso. Ostentando capacete e óculos de aviador, ele impressionava em sua motocicleta, e costumava se gabar de sua moto ser uma BMC — Birmingham Motor Corporation. Não importava quantas vezes ele nos visitasse, nunca esquecia de mencionar que viera montado numa BMC. Eu não acho que Mũigai estivesse escondendo nada conscientemente, mas ele nunca mencionou sua relação com Kenyatta, nem falava do que estava acontecendo no país.

22

Embora o estudo de religião não fosse um requisito na antiga escola Manguo e eu não tivesse me convertido à fé ortodoxa ou a qualquer fé cristã, sentia falta das performances dominicais de Kĩhang'ũ, que tinham cessado com a interdição à Igreja Ortodoxa Africana. Agora não havia nenhuma Igreja associada à escola do governo. Mas outras Igrejas tentaram fornecer abrigo àquelas almas perdidas.

E de fato, alguns dos que tinham seguido a fé ortodoxa tentaram ir a outras Igrejas. Mas, para muitos fiéis, voltar a uma Igreja associada a missionários, como Kamandũra, representava a excomunhão. Para outros, a Igreja Católica parecia ser a escolha certa. Ela não hostilizava os seguidores ortodoxos. Não confrontava os que praticavam poligamia ou os que queriam unir suas tradições à fé cristã. De fato, a Igreja Católica como um todo se recusara a assumir uma postura radical no conflito sobre a circuncisão feminina dos anos 1920. Era menos intolerante em seus critérios para admissão em seu rebanho. A igreja do Convento de Loreto em Limuru era uma das instituições cristãs mais antigas da área. Muitos estudantes de Manguo começaram a ir para lá à medida que se espalhou a notícia de que a admissão era fácil. Você se apresentava lá e voltava católico! Mais tarde ficamos chocados quando a irmã de Stephen Thiro, Hegara Gacambi, a filha de Kĩeya, patriarca fundador de Manguo Karĩng'a, obteve vaga em uma escola do ensino médio e decidiu virar freira.

SONHOS EM TEMPO DE GUERRA 165

Kenneth Mbũgua e eu também decidimos virar católicos. Minha amizade com Kenneth, cujo pai, Fred Mbũgua, anos antes lera em voz alta minha dissertação em Gĩkũyũ, começara com o pé errado, na época em que eu ainda morava na casa de meu pai. A rota da casa do meu pai até as lojas indianas passava pela casa de Kenneth. Ele era grande para sua idade e bancava o valentão. Costumava aterrorizar a mim e a meu irmão caçula, e às vezes ameaçava confiscar nossos aros de pneu, que conduzíamos com varinhas, como se fossem nossos "carros". Quando contei a minha mãe sobre as ameaças, ela falou com a mãe dele, Josephine, mas Kenneth não parou de nos assediar. As coisas até pioraram. Minha mãe odiava conflitos, e seria a primeira a me repreender caso soubesse que eu tinha provocado uma briga. Dedurei Kenneth para minha mãe outra vez. Ela disse: Você quer que eu brigue com ele por você? Compreendi que não teria mais ajuda daquele lado, mas ao mesmo tempo percebi que ela não me repreenderia se eu me defendesse.

Um dia Kenneth nos ameaçou novamente, esperando que saíssemos correndo, mas dessa vez finquei o pé e o desafiei a mexer comigo. Ele deu um passo na minha direção, e eu me lancei sobre ele, raivoso e furioso. Pego de surpresa, ele caiu no chão e eu caí por cima dele. Recuperando-se rapidamente do choque, ele lutou para levar a melhor, tentando virar por cima de mim. Não tinha a menor dúvida de que ele tinha força para me vencer, mas estava determinado a não permitir. Meu irmão caçula, que fugira, retornou, e juntos nós mantivemos Kenneth no chão. Demos alguns golpes nele, e então saímos correndo enquanto ele nos perseguia jurando vingança, mas com cada vez menos convicção na voz. Ele nunca se vingou de nossa suposta impertinência. Em vez disso, aos poucos ficamos amigos, mais ainda depois que saí de Kamandũra para Manguo e da casa de meu pai, porque nossa nova casa ficava a dois campos de plantações da casa de Kenneth. Aquela foi minha primeira lição em matéria de resistência: a razão e a justiça podem dar poder aos fracos.

Na sala de aula, Kenneth e eu começávamos a despontar como rivais nos estudos, mas o desnível entre nós dois e o resto da classe era enorme, e isso fortalecia nossa amizade. Não sei o que fez Kenneth e eu decidirmos nos tornar católicos. O pai dele na época era bastante indiferente a assuntos de igreja. A mãe dele era muito religiosa e sempre ia à igreja de Kamandūra, mesmo com o marido sendo o pilar acadêmico de Manguo na época em que a escola ainda era Karīng'a. Kenneth fora batizado ainda criança, eu não. Não me lembro se conversávamos a fundo sobre catolicismo. Era bem possível que estivéssemos apenas seguindo a moda. Sem contar ou consultar ninguém, determinamos uma data em que iríamos até o Convento de Loreto em Limuru e voltaríamos como católicos romanos.

Foi uma dessas coincidências difíceis de explicar. No caminho, perto do mercado africano de Limuru, encontramos a mãe dele. Quando Josephine soube aonde íamos e o motivo, ficou horrorizada. De maneira nenhuma iríamos virar católicos, disse ela com firmeza. Se era batismo o que eu queria, e confirmação, no caso de Kenneth, ela nos levaria até o Lorde Reverendo Stanley Kahahu para nos matricularmos nas aulas de batismo.

Eu ainda tenho dúvidas quanto ao meu relacionamento com os Kahahu. Nós tínhamos saído do domínio deles, mas ainda íamos lá para trabalhar. Um dia, Lillian Kahahu, dizendo que estava nos ajudando, nos confia um acre de terreno para eu e meu irmão capinarmos. O dinheiro que ela nos oferece parece muito, considerando nossa situação. Lillian parece ainda mais generosa quando nos paga metade do valor adiantado, prometendo pagar o restante no final do trabalho. Nós levamos meses para começar a vencer o terreno, e por essa época vemos que o dinheiro nem de longe compensa o trabalho que estamos tendo. Ficamos num impasse: não podemos parar de trabalhar porque não temos como devolver o dinheiro já recebido. Minha mãe odeia dívidas, e ainda precisamos do minúsculo ordenado. Quando finalmente completamos a tarefa, digo a mim mesmo que não trabalharei mais lá.

Logo a necessidade mais uma vez me força a entrar no mutirão sazonal para colher flores de píretro. Somos muitos, adultos e crianças, de vários pontos da aldeia. Algumas crianças, famintas e sedentas, pulam a cerca do pomar dos Kahahu e pegam algumas ameixas. Eu não estou entre elas. Minha mãe me mataria se soubesse que eu tinha roubado, e a definição de "roubo" dela é bem abrangente. Lillian descobre o roubo e, à tarde, ao levarmos nossa colheita para ser pesada, ela pede que os culpados se entreguem, ou que os inocentes os dedurem. É noite de sexta-feira. Estamos aguardando a remuneração da semana. Ela repete a ordem. Os culpados não se entregam; os inocentes não os deduram. Então vem o julgamento. Vamos todos perder nosso salário se não entregarmos os culpados.

Não consigo acreditar no que ouço. Será que ela sabe que precisamos desesperadamente daquele dinheiro em casa? Não, ela não pode estar falando sério. Mas está. Ninguém, nem mesmo os adultos entre nós, protesta. A injustiça daquilo me ofende profundamente. Dou um passo à frente. Ergo a voz. Todos os olhos se voltam para mim: Você não pode fazer isso, não é justo, eu me pego dizendo. Ela se recupera do choque. Posso sim, e vou, a menos que os culpados se entreguem, diz ela, friamente. E você se diz cristã?, pergunto. Todos ficam de queixo caído. Lillian, esposa do Lorde Reverendo Stanley Kahahu, administrador da propriedade, nunca tinha sido desafiada por nenhum de seus operários. Ela contrata e demite à vontade. Mas sei que todos ali presentes sabem que estou certo. Ainda assim, nenhuma outra voz se une ao meu protesto. Esse seu cristianismo não é nada, digo, e saio de cena, enquanto lágrimas de raiva e frustração rolam pelo meu rosto.

Esse episódio se torna o principal assunto da aldeia. Alguns diziam que Ngũgĩ, o filho reservado de Wanjikũ, conhecido por seu comportamento educado e respeito aos mais velhos, havia falado coisas que nenhuma criança devia falar a um adulto. Mas outros diziam que Lillian tinha ido longe demais — castigar culpados e inocentes por causa de umas ameixas? E embolsar toda uma semana de salários como vingança? Os pais então protestam. Lillian cede, mas paga salários reduzidos. Ela não me paga. Minha perda se torna o ganho de outros. Aquela foi minha segunda lição sobre resistência. Ela vai ver minha mãe para reclamar. Minha mãe não responde. Sei que ela não aprova que um jovem fale atravessado com um adulto. Ela não me repreende. Digo a minha mãe que não trabalho mais para os Kahahu, e ela concorda. Eu perdera o salário obtido com tanto esforço, mas me sentia livre.

Esses pensamentos ecoam em minha mente quando a mãe de Kenneth diz que vai nos levar pela mão até o reverendo Kahahu. Apesar de Lillian não ter sido justa, ainda sou grato pelo papel do reverendo Kahahu na recuperação da minha vista. Eu sei distinguir entre o reverendo Kahahu, o pregador, e sua esposa, Lillian, a administradora. Além disso, a mãe de Kenneth não está nos levando até a casa dele, e sim até a igreja.

Eu cedi e me matriculei para ser batizado pelo reverendo Kahahu. Assim começaram minhas aulas de religião em Kamandūra. Eu teria que memorizar o catecismo, fazer um teste, e depois de aprovado teria que escolher um nome cristão. Estava pensando em escolher James Paul. Eram os nomes de batismo dos filhos de Kahahu. O reverendo Kahahu disse que um nome só bastava. E assim, pelo ritual cristão de batismo pela água, me tornei James Ngũgĩ, o nome com que anos depois eu assinaria minhas primeiras obras de jornalismo e ficção, até 1969, quando voltei a usar o nome Ngũgĩ wa Thiong'o.

Sempre tive consciência da ironia de minha situação. Depois de escapar por pouco de virar um católico romano, eu entrara em uma congregação da Igreja Missionária Escocesa, enquanto frequentava uma escola do governo, antigamente uma escola Karĩng'a com vínculos com a Igreja Ortodoxa Africana, agora também banida. Por essa época a IME tinha mudado seu nome para Igreja Presbiteriana da África Oriental.

Eu incrementei a ironia: aos domingos eu ia a Kamandūra adorar e participar da comunhão espiritual; nos dias de semana, frequentava a escola Manguo para seguir minha vida intelectual.

23

Na nova escola Manguo o inglês ainda era enfatizado como chave da modernidade, mas ao passo que na escola Karĩng'a o inglês e o Gĩkũyũ coexistiam, agora se desencorajava o conhecimento deste último. Teve início uma caça às bruxas tendo como alvo quem falasse as línguas africanas na área da escola, e em alguns casos as consequências de ser pego chegavam aos castigos físicos. Um professor entregava um pedaço de metal ao primeiro estudante pego falando uma língua africana. Esse aluno culpado passava o metal à próxima pessoa que repetisse a infração. Isso prosseguia até o final do dia, quando então a última pessoa a segurar o pedaço de metal levava uma surra. Às vezes o metal vinha com palavras humilhantes rabiscadas, como "Me chame de burro". Eu vi professores derramando sangue de alunos. Apesar disso, nos orgulhávamos de nossa proficiência em inglês, e éramos ávidos por praticar a nova língua fora dos domínios da escola.

Uma oportunidade inesperada apareceu. Como parte de seus esforços para conquistar corações e mentes, o Departamento de Informação tinha criado uma revista chamada *Pamoja*, para dar lições sobre educação cívica e fazer elogios sobre os serviços do governo. Kenneth foi o primeiro entre nós a escrever uma carta para o Departamento de Informação em Nairóbi para pedir a revista. Ele obteve uma resposta formal em um envelope oficialmente carimbado.

Eram apenas algumas linhas que agradeciam pelo pedido e avisavam que lhe enviariam um exemplar. Era fantástico. Ele tinha escrito uma carta à mão em inglês e obtivera uma resposta datilografada agradecendo? E assinada "Seu fiel servidor"? Alguns dias depois ele recebeu a revista. Pedi a Kenneth que me mostrasse como ele fizera aquilo, a carta que tinha escrito, o endereço, tudo. Eu escrevi uma carta parecida, quase palavra por palavra, remeti em meu nome e obtive a mesma resposta, tratando-me por "Caro Senhor" e assinada "Seu fiel servidor". Logo eu também era um altivo destinatário da revista, em que vinha datilografado: James Ngugi, a/c Escola Manguo, Caixa Postal 66, Limuru.

Embora idêntica à que Kenneth e os outros estudantes tinham recebido, a resposta e o meu nome na revista me deixaram empolgado. Continuei contemplando-a. Levei a revista para casa, mostrei-a a minha mãe, anunciando com orgulho que o governo tinha me escrito uma carta. Até então meu avô era a única pessoa que eu tinha visto em correspondência com o governo. E por que o governo ia escrever para você?, perguntou minha mãe, meio desconfiada. Expliquei que havia iniciado a correspondência. E em inglês!, acrescentei, para impressioná-la.

O fascínio das "minhas" palavras em inglês obtendo uma resposta escrita me levou de volta à época em que meu irmão mais novo e eu experimentávamos nosso conhecimento de algumas palavras em outras línguas com os falantes nativos. Era na casa de meu pai. Quando tinha uma boa colheita, ou sempre que a despensa tinha milho, batata, feijão ou ervilha, minha mãe era generosa com a comida. Ela sempre cozinhava o bastante para alimentar os presentes, bem como os convidados de última hora. Eu me lembro de épocas em que as mercadoras itinerantes de Kamba, completas estranhas, passavam em casa e minha mãe deixava que pernoitassem, alimentando-as o melhor que podia. Meus irmãos e irmãs mais velhos nunca anunciavam quem iriam trazer para casa. Se um visitante aparecesse e fosse embora sem nem uma tigela de mingau, minha mãe se sentia mal, como se tivesse fracassado de alguma forma. Algumas das visitas mais frequentes, que em geral vinham acompanhando o Bom Wallace, eram operários da fábrica de calçados Bata de Limuru. Eram de diferentes comunidades quenianas e com eles aprendemos algumas palavras e frases simples, a maior parte cumprimentos. Em Luo, aprendemos a perguntar: *Idhi nade?* Em Kamba: *Nata? Wĩ mũseo?* Em Luhya: *Mrembe?* Mas como podíamos ter certeza de que conhecíamos mesmo as palavras? Ou que, saindo de nossos lábios, elas podiam precipitar uma resposta de um falante nativo, alguém que não tinha nos ensinado aquelas frases?

Um dos trechos de terra de minha mãe ficava perto da estrada que saía do assentamento dos operários da fábrica de calçados Bata, passando pelo mercado africano, em frente à loja de Karabu, e chegava nas lojas indianas. Nós costumávamos arar aquele terreno, ajudando minha mãe a capinar e fertilizar. Sempre havia tráfego humano entre o centro de compras indiano e as lojas africanas. Decidimos que era hora de testar o conhecimento das línguas que havíamos aprendido. Mas tínhamos dificuldade em identificar quem, dos passantes, era de Kamba, de Luhya ou de Luo. Aguardando perto da estrada e escondidos nos milharais, observávamos e escutávamos, esperando ouvir vozes de pessoas que não falassem Gĩkũyũ. Tivemos sorte na primeira tentativa. Adivinhamos corretamente que se tratava de um grupo de trabalhadores de Luo. Saímos repentinamente do milharal. *Idhi nade?* O grupo espantado respondeu algo como: *Adhi ma ber*. Não tínhamos palavras para continuar. Eu disse: *Ero kamano*, e meu irmão disse: *Ahero*, e disparamos de volta para os milharais, empolgados por termos sido compreendidos, mas sem desejar que nossos conhecimentos fossem testados além daquilo. Fizemos o mesmo com as línguas Kikamba e Kiluhya. Às vezes não conseguíamos nos comunicar, mas sempre que tínhamos sucesso, sentíamos a mesma emoção, conforme corríamos para o abrigo dos milharais.

Aquela era a comunicação oral. Agora eu estava escrevendo em inglês e sentindo algo similar, sabendo que fora compreendido por um leitor desconhecido que escrevera uma resposta às minhas palavras em inglês mesmo eu as tendo copiado de Kenneth. Anos depois sentiria uma emoção similar com a aceitação de meus primeiros textos em uma revista escolar e com a reação positiva de meu editor ao manuscrito de um livro.

Houve consequências imprevistas àquela carta assinada "Seu fiel servidor". Tendo informado meu nome e endereço, passei a receber não apenas o boletim de informações, mas várias outras publicações do governo em inglês. Sem o *Mūmenyereri* e outras publicações na língua africana, a única alternativa à rádio do governo e ao jornal em inglês era a transmissão oral.

As notícias de boca a boca em Gĩkũyũ e as notícias escritas em inglês frequentemente davam versões conflitantes dos eventos, o que me deixava confuso às vezes. A princípio a contradição não importava. Ser capaz de ler uma publicação em inglês era mais importante do que a informação captada. O meio triunfava sobre a mensagem. Então um dia recebi um panfleto intitulado "O massacre de Lari", e não pude mais ignorar a mensagem.

A região de Lari ficava próxima a Limuru, a cerca de vinte quilômetros. Em março de 1953 o chefe colonial de Lari, Luka wa Kahangara, foi morto com alguns de sua família. A publicação mostrava imagens grotescas de corpos humanos e carcaças de vacas apodrecendo em campo aberto. Também havia imagens do governador Baring e do secretário colonial britânico, Oliver Lyttelton, visitando a cena. As imagens falavam mais alto do que as palavras que as acompanhavam: perturbavam-me ao extremo, mais ainda por parecerem tão sem sentido. As imagens, dispostas como estavam, sugeriam comportamento irracional, sem pé nem cabeça.

Mostrei a publicação a Mzee Ngandi quando mais tarde ele apareceu com meu irmão mais velho, para uma visita. Isso é ruim, muito ruim, disse eu. Ele olhou para aquilo, leu um fragmento. Comportava-se como de hábito, pensativo. Mas dessa vez não ficou assobiando para si mesmo, como geralmente fazia. Ele pegou um exemplar do *East African Standard*. Com o embargo ao *Mūmenyereri*, o *East African Standard*, em inglês, tomara o seu lugar nos bolsos externos de sua jaqueta. Ele disse: Você encontra a mesma coisa neste jornal de colonos, as manchetes, as imagens, a história. Todo evento tem mais de um lado. O que você está vendo e lendo é a versão colonial. Os combatentes da liberdade não têm jornal ou rádio para dar sua versão. Então não acredite em tudo que lê nesses documentos. Isso é propaganda.

Aquela era uma palavra nova para mim. Mas olhe só para isso, disse eu, apontando para as imagens dos mortos, como se dizendo que não havia dois lados para o que via diante de mim.

Naquele instante já havia um grupo de ouvintes ao redor dele, o tipo de atmosfera em que ele vicejava: É verdade que houve mortes em Lari. Mas lembre-se: as guerrilhas receberam ordens específicas do marechal Dedan Kīmathi para não matar a esmo. As guerrilhas não têm como sobreviver sem o apoio do povo. Então por que iriam matar indiscriminadamente? As raízes da tragédia, explicou ele, remontavam à ocupação europeia da nossa terra, que então eles tinham batizado de Terras Brancas. Mas procure saber sobre Lari na Primeira Guerra Mundial. Lembrei-me da história de como meu pai havia evitado a guerra. O que as mortes em Lari em 1953 tinham a ver com os ingleses e os alemães combatendo entre 1914 e 1918?

Pois veja só (ele disse), depois da Primeira Guerra Mundial, o que restava das terras de propriedade africana em Tigoni, ou Kanyawa, foi tomado para assentar mais ingleses, usando a ação de assentamento dos soldados como pretexto. Você percebe a injustiça? Os soldados ingleses vão à guerra e são recompensados com terras tomadas dos africanos. Os africanos vão à mesma guerra como soldados e carregadores dos Carrier Corps e são recompensados tendo suas terras roubadas. Aconteceu a mesma coisa na Segunda Guerra Mundial. Emprego para o soldado europeu que retornava; desemprego para o combatente africano. E quanto a Kanyawa: as famílias africanas recusaram os assentamentos alternativos. Entende? Depois da Declaração de Devonshire de 1923, o Quênia tornou-se um país de negros; em um conflito por causa de terra entre africanos e as outras raças, os direitos africanos eram primordiais. As famílias sabiam que os direitos de herança, as leis e a justiça estavam do seu lado. Elas juraram resistir juntas ou cair juntas. Em 1927, Luka Kahangara, um porta-voz, rompeu a união do grupo. Ele concordou em se mudar para outras terras em Lari, dando assim proteção legal ao roubo dos ingleses. Os que continuaram resistindo foram removidos à força e tiveram suas casas queimadas. Eles perderam suas terras e suas casas. Alguns se mudaram para Ndeiya e outras paragens. As mortes em Lari, mesmo que pareçam ruins, não são atos desvairados. A casa do chefe Luka e as casas dos seus seguidores foram queimadas da mesma maneira que as casas dos moradores legítimos de Tigoni tinham sido queimadas pela polícia colonial. Eu não gosto da justiça do dente por dente. Mas veja assim: enquanto os combatentes Mau Mau marcaram o chefe, sua família e seus seguidores para morrer, as forças coloniais agiam como se quase todo mundo pudesse ser culpado pelas mortes. Eles executavam as pessoas e deixavam os corpos ao ar livre ou nas florestas para apodrecer.

Ngandi contou a história de um homem de Lari, um dos vários que tinham sido amarrados juntos e forçados a formar uma fila. Um oficial britânico ordenou a seus ascaris africanos que abrissem fogo. Quando eles hesitaram, ele mesmo abriu fogo com uma metralhadora. Os cativos caíram num monte. Para se certificar de que estavam todos mortos, o oficial disparou mais uma rajada de metralhadora nos que já haviam caído. Ele e seus soldados foram embora. Mas um dos homens não morreu. Quando, pela manhã, os aldeões vieram ver os corpos, o homem ergueu a cabeça. A princípio as pessoas recuaram, achando que ele era um fantasma. Mas então ouviram seu débil pedido de ajuda. Esse homem frequenta hoje as lojas do mercado em Limuru. Aponto ele para você, me garantiu ele, e continuou: Infelizmente, ele perdeu a fala. Ele ainda teve sorte. Houve centenas de outros que não sobreviveram, chacinados pelas forças coloniais aquela noite e nos dias seguintes. E aí eles culpam as guerrilhas Mau Mau por todas as mortes. Por quê? Eles querem prejudicar a imagem dos combatentes. E também querem que os olhos do mundo não vejam o que realmente causou essa fúria. Na noite dos ataques ao terreno de Luka em Lari, a delegacia de Naivasha também tombou diante dos combatentes. As guerrilhas libertaram os prisioneiros, arrombaram o paiol e levaram muitas armas e munições. Você viu essa história na imprensa? Você viu isso na publicação que enviam a você? Você se lembra de Mbūrū Matemo, o locutor de rádio? Você nunca mais vai ouvir a voz dele. Ele foi dispensado porque mencionou que Naivasha tinha sido invadida pelos guerrilheiros. Agora ele está em um campo de concentração como milhares de outros. Ngandi concluiu, decisivo: O massacre de Lari foi um massacre, é verdade, mas também é um massacre inglês em retaliação pela morte de um chefe leal e pela invasão da delegacia de Naivasha.

Às mortes em Lari e à invasão da delegacia de Naivasha se seguiram outras ações do governo que levaram os efeitos do estado de emergência às vidas comuns fora das cidades principais. O Estado colonial já havia criado uma nova tropa formada por elementos legalistas da população, chamada de Guarda Nacional. E agora mais e mais pessoas estavam sendo recrutadas para a tropa. Aos poucos essa tropa foi se tornando um dos instrumentos mais brutais do terror colonial. Seu centro de poder visível em nossa área era um posto da Guarda Nacional construído no topo da serra mais alta em Kamīrīthū. A característica mais proeminente desse posto, na verdade um forte, era uma alta torre de vigia guardada dia e noite por soldados armados. Um fosso seco cercava o forte, forrado com estacas pontiagudas posicionadas de forma que quem ali caísse seria empalado fatalmente. O fosso era reforçado com arame farpado espesso. A única maneira de entrar ou sair do forte era por uma ponte levadiça, que era levantada à noite e baixada durante o dia. Os Guardas Nacionais dormiam no acampamento. Funcionando como centro de comando militar, delegacia e prisão, o posto da Guarda Nacional era uma câmara de horrores.

Chefes mais velhos como Njiriri wa Mũkoma e líderes como seu irmão Kĩmunya, conhecidos por serem amistosos com o povo, foram substituídos por outros mais ferozmente leais ao Estado colonial e agressivamente hostis aos combatentes nacionalistas e à população. Um dos líderes mais notórios era Ragae, que superava os demais em crueldade, sobretudo contra os que tinham sido desalojados internamente do Vale Rift. O que é que podia tornar alguém tão brutal contra seu próprio povo? Eu costumava pensar nesse homem, que sempre andava com um rifle pendurado no ombro e acompanhado de um guarda-costas armado. Um dia, alguns guerrilheiros o seguiram quando ele ia do mercado de Limuru até o posto da Guarda Nacional e, na estrada, atiraram nele. Eles o tomaram por morto, mas ele sobreviveu. Mais tarde, disfarçados de médicos, eles entraram no hospital em que ele fora admitido e terminaram o serviço. Ninguém chorou por Ragae. Em vez disso, as pessoas celebraram abertamente.

Uma das tarefas do chefe, do líder da aldeia e dos Guardas Nacionais era impor as tarefas do trabalho comunal e o comparecimento compulsório às *barazas*, as reuniões do governo, em determinados dias da semana. Durante a *baraza* de um chefe e o trabalho comunal — capinar, cavar terraços, varrer as ruas, tudo que os caprichos do chefe ditassem —, todas as lojas tinham que fechar. Ninguém era autorizado a trabalhar em suas porções de terra. Até os moleques da escola eram às vezes arrastados para essas reuniões. Os que faltavam ao trabalho comunal eram presos e ficavam detidos no posto da Guarda Nacional por dias. Esses dois exercícios forçados interrompiam seriamente a produção e contribuíam para a fome coletiva e o enfraquecimento da população.

Uma vez fui forçado a comparecer às *barazas* do chefe, em que ele passava o tempo pregando as virtudes da obediência ao Estado e provocando os ouvintes, dizendo coisas como: "O seu Kenyatta não vai escapar livre do Tribunal de Kapenguria. Ele vai ser enforcado em Gĩthũngũri".

24

Para mim, o julgamento de Jomo Kenyatta torna-se uma vasta performance oral narrada e dirigida por Mzee Ngandi com a graça e a autoridade de uma testemunha ocular. Eu presumo que Ngandi, como alguns de sua plateia, tem que ler nas entrelinhas do que é dito nos jornais dos colonos e na rádio do governo. Mas ele embeleza o que consegue captar da história com uma interpretação rica e criativa. Sua narração é influenciada por sua convicção de que Kenyatta vai vencer. Isso, mais do que qualquer outra coisa, ajuda seus ouvintes a suspender a descrença.

Ngandi nunca tinha ido a Kapenguria ou a parte alguma de Turkana, mas ele começa estabelecendo o cenário: algumas lojas, uma estrada poeirenta e estreita, uma escola depauperada transformada em tribunal em uma vasta terra árida de relva rala, cacto, uma árvore espinhenta aqui e ali, e pastores com suas cabras e vacas, que subitamente erguem o olhar e veem carros, polícia armada, homens brancos nunca antes vistos, indo e vindo pelo local por semanas, que se tornam meses.

Ele apresenta o elenco de atores locais e internacionais. Protagonizando o elenco está alguém ausente do tribunal do juiz Ransley Thacker: Mbiyū Koinange, delegado da União Africana do Quênia, livre na Inglaterra, revela-se como o gênio por trás do formidável elenco de advogados de defesa, ajudado, sem dúvida, por seus velhos amigos,

Fenner Brockway e outros do Partido Trabalhista. Ué, o que vocês esperavam?, pergunta Ngandi à plateia, de forma retórica. A mente que organizara a Kenya Teachers' College em Gĩthũngũri, unindo pessoas diferentes por um ideal comum, está agindo novamente.

Depois aparece D. N. Pritt, o advogado de defesa líder; ele é CR — Ngandi explica que ele é Conselheiro da Rainha, o que significa que ele se reporta à líder do Império Britânico, insinuando acentuadamente que a rainha talvez não tenha ficado muito satisfeita com a impulsividade do governador Baring em prender Kenyatta. O Quênia é o país favorito dela, afirma ele, rapidamente lembrando a plateia de que ela passara de princesa a rainha durante sua lua de mel no hotel Treetops, perto de Nyeri. Entenderam? E, em 6 de fevereiro de 1952, é em solo queniano que ela descobre que se tornará rainha; em outubro de 1952 ela ouve falar que seu primeiro-ministro, Churchill, e seu representante aqui, o governador Baring, prenderam Kenyatta.

Outros membros da equipe de defesa vêm de todas as partes do império da rainha, incluindo Dudley Thompson, da Jamaica, e H. O. Davies, da Nigéria. Outros, de todas as partes do mundo, têm sua entrada negada no aeroporto ao tentar trabalhar com os três advogados locais, Fitz de Souza, Jaswant Singh e A. Kapila. Kapila só fica atrás de D. N. Pritt em brilhantismo. Se Kapila vivesse na Inglaterra, há muito já teria se unido ao grupo secreto de Conselheiros da Rainha. O próprio Jawaharlal Nehru, primeiro-ministro da Índia, enviara o advogado Chaman Lall, um membro do Parlamento, para se unir à equipe.

O fato de o primeiro-ministro da Índia ter enviado advogados é uma contribuição bastante significativa para que Ngandi tenha certeza da vitória. Os ingleses tinham colonizado a Índia por centenas de anos. Liderados por Mahatma Gandhi e Nehru, o povo indiano exigiu sua independência. Assim como nosso povo está fazendo agora, liderado por Jomo Kenyatta e Mbiyũ Koinange. E olhem só para o líder deles. Ele descreve a frágil figura de Mahatma Gandhi, vestido com os panos que chamam de *dhoti*, e o quanto os indianos em todo o mundo o amavam e penduravam seu retrato nas paredes de suas lojas. Mahatma Gandhi? O líder deles? Uns panos? Aquela era a imagem que eu costumava ver pendurada nas paredes das lojas indianas de Limuru. Achava que ele era um dos deuses indianos, porque minha mãe assim afirmara.

Eles conseguiram a independência em 1947, continua Ngandi, com sua contagiosa lógica de otimismo. Não tem por que não conseguirmos a nossa agora em 1957. Gandhi combateu o império britânico com a verdade; Kenyatta vai esmagar o império britânico com seu brado por justiça. A Índia mostrara o caminho.

Ngandi conta a história do longo relacionamento da Índia com o Quênia, que começara bem antes das ferrovias e das cidades ferroviárias. Antes de os europeus chegarem à África Ocidental, já havia mercadores indianos em Mombasa e Malindi. O piloto que mostrou ao patife do Vasco da Gama a rota para a Índia foi um indiano que morava na costa.

Combatendo as vozes contrárias, pois os ouvintes não veem nenhum indiano de Limuru envolvido nos assuntos públicos nem sendo forçado a atender às *barazas* dos chefes ou a ajudar no trabalho comunal, ele usa a ocasião para falar positivamente sobre a contribuição indiana à luta do Quênia. É estranho que seus ouvintes tenham antes aceitado com prazer a história de Makhan Singh como profeta e, no entanto, agora, duvidem do papel indiano. Mas Ngandi persiste e cita casos de organizações e indivíduos indianos trabalhando com os africanos em diferentes etapas da luta queniana, incluindo a cessão de espaço para redações e gráficas para jornais e revistas em língua africana. Ele menciona a aliança de Desai com Harry Thuku em 1920 e a expressão de solidariedade de Gandhi para com Thuku prisioneiro.

Ngandi pode ou não ter sabido que as provas documentais estavam do seu lado. Mas quando o líder dos trabalhadores foi preso e detido em Kismayu, que fazia parte do Quênia na época, o próprio Gandhi escreveu no jornal *Young India* que Thuku era vítima da "luxúria de poder", e que se Thuku "algum dia vir estas linhas, talvez ele sinta algum conforto sabendo que mesmo na distante Índia muitos vão ler com simpatia sobre a história de sua deportação e julgamento".

Todas as greves de trabalhadores desde a época de Harry Thuku até as greves de 1947 que chegaram à fábrica de bacon Uplands e à fábrica de calçados Bata de Limuru tiveram apoio indiano, assegura Ngandi.

Eu conhecia pessoalmente alguns daqueles grevistas. Kĩariĩ, um dos trabalhadores da Bata, que costumava vir à casa de minha mãe, acabou se casando com Gathoni, minha irmã mais velha, e a levou para sua casa em Kĩambaa, perto da casa de Koinange. Depois de perder o emprego ele voltou a Kĩambaa para trabalhar na fazenda e reclamar sobre os bôeres da Bata. Para meu cunhado, todos os brancos eram bôeres.

Os indianos não vêm todos de Limuru, dizia Ngandi, citando outros, como Gama Pinto, terminando com o caso de Ida Dass, que acompanhara Mbiyũ até a Inglaterra. E agora vocês entendem o bom trabalho que Mbiyũ faz reunindo apoio no estrangeiro para o julgamento.

Nos lábios de Ngandi, o julgamento de Jomo Kenyatta se transforma em geografia, história, política, educação cívica e, acima de tudo, mito. Ao recontar a história, os lugares mencionados no julgamento — Manchester, Moscou, Dinamarca — se tornam cenários em um enorme território ficcional em que Ngandi trata pessoalmente com os habitantes, às vezes com ternura, às vezes com violência. Ele, como narrador, toma partido nas disputas entre seus personagens. Ele tem o maior desprezo por Thacker, um antigo colono, resgatado do monturo da aposentadoria para, em nome da comunidade de colonos, julgar um nacionalista. Já tendo se decidido, Thacker nem finge ouvir as provas apresentadas: em vez disso, brinca com os óculos, cochila, acordando de vez em quando para negar as moções da defesa e conceder as da acusação. Ngandi discute com Anthony Somerhough, o promotor, e com suas testemunhas, algumas das quais, como Louis Leakey, intérprete do tribunal, despertam nele verdadeira fúria. Louis Leakey, filho de Canon Leakey, cresceu entre nós; ele até era amigo da família Koinange. Mbiyũ foi padrinho de seu casamento com Mary. Ele é um espião. Aprendeu a falar Gĩkũyũ para que pudesse nos delatar de dentro. É por isso que ele é chamado de Karwigi, "Falcão". Na verdade, ele é um cavalo de Troia.

Não sei quase nada sobre cavalos, que dirá de Troia, e Ngandi para e explica. Eu sou um de seus ouvintes mais atentos, e ele fica mais expansivo quando estou no grupo. Na minha presença ele fala mais frases e palavras em inglês, e o fato de eu parecer entender soa, aos ouvidos dos outros, como uma confirmação do conhecimento que ele tem.

Sua verdadeira fúria é dirigida contra as testemunhas de acusação africanas, gente como Rawson Macaria e Gĩciriri. Traidores!, dizia ele, irritado com o fato de que ele e algumas dessas testemunhas respiram o mesmo ar de Limuru, embora aqui e ali Ngandi acalme sua raiva dizendo: Deus os perdoe, pois eles não sabem o que fazem.

A menção a Gĩciriri interfere no cenário mítico em que os personagens se movem. Eu já o vi em Limuru. Todo mundo o conhece; ele até era amigo de Kĩmũchũ, que fora assassinado. Wanjikũ, uma das filhas dele, estudou na mesma escola que eu. Muito bondosa, muito simpática, nem parece a filha do ogro que surge na narrativa de Ngandi. Ainda assim, sempre que penso em Gĩciriri, tremo um pouco: não compreendo como algum africano poderia concordar em testemunhar contra seu próprio povo, especialmente num caso como esse, já que um dos Seis de Kapenguria, Kũng'ũ Karumba, vem de Ndeiya, em Limuru.

A representação que Ngandi faz das coisas vistas e ocultas em diferentes lugares, repetida ao longo de muitos dias, ajuda a substituir o cinza do desespero pelo brilho da esperança. Visto de qualquer ângulo possível, o caso da defesa pela libertação de Kenyatta parece forte. Com o tempo eu começo a partilhar da mesma crença: Kenyatta e o resto dos Seis de Kapenguria (como os réus foram chamados) vão vencer.

Então, quando em 8 de abril de 1953 revela-se que Kenyatta e os outros foram condenados e sentenciados a sete anos de trabalhos forçados, meu coração se parte. O que havia dado errado? Como podiam a rainha, Nehru e todos aqueles advogados de todos os cantos do império permitir aquilo? Atônito, eu me volto para Ngandi, como se agora questionasse sua autoridade de narrador. A história não tinha terminado do modo que o narrador tinha me feito acreditar.

Mas Ngandi não se abate: Ouçam com atenção as palavras de Kenyatta no tribunal: "Nossas atividades foram contra as injustiças que o povo africano sofreu... o que nós fizemos, e o que continuaremos a fazer, é exigir os direitos do povo africano como seres humanos, para que eles possam se beneficiar das comodidades e dos privilégios da mesma maneira que os outros". Vocês acham que ele estava falando apenas para o promotor Somerhough e o juiz Thacker? Para que serviria isso? As palavras dele são um sinal para Mbiyũ e Kĩmathi continuarem e intensificarem a luta. Ele vai estar livre para uma glória maior. Lembrem-se de que Kwame Nkrumah, amigo de Kenyatta, tinha saído da prisão para se tornar primeiro-ministro da Costa do Ouro há um ano, em 1951. FP, "formado na prisão", era como ele mesmo se chamava. E Nehru? Não foi um formado na prisão também?

Percebo que com o tempo os personagens principais daquela história mudam: agora entram em cena o marechal de campo Dedan Kĩmathi, seus generais e seus exércitos de guerrilha como agentes da história. Pergunto a Ngandi por que um deles é chamado de "General China". Ele não hesita em responder. Ngandi me conta um pouco sobre a autolibertação dos chineses em 1948, um ano depois da independência da Índia, mas não se estende muito. Pergunto-lhe sobre os boatos de que os negros americanos e sul-africanos viriam nos ajudar.

Os negros americanos e sul-africanos têm suas próprias lutas. Mas eles simpatizam com a nossa, me diz Ngandi. O bispo Alexander, da África do Sul, tinha estado no Quênia como convidado das escolas KISA e Karĩng'a, entre 1935 e 1937, para ajudar a ordenar membros do clero da fé ortodoxa, como Arthur G. Gatũng'ũ, de Waithaka. Os negros americanos já se envolveram em nossa luta. Ele menciona Marcus Garvey, cujo jornal, o *Negro World*, de alguma forma chegara aos líderes da Kenya Central Association nos anos 1920. E depois que os colonos no Quênia e o Estado colonial massacraram os que exigiam a libertação de Harry Thuku em 1922, o próprio Marcus Garvey convocara uma enorme assembleia no Liberty Hall em Nova Iorque e enviara um telegrama a Lloyd George em nome do grupo, profetizando que em trinta anos os quenianos travariam combate armado contra os ingleses. Marcus Garvey era um profeta. O que ele disse se tornou realidade. Ngandi cita a amizade de Kenyatta com Paul Robeson, George Padmore e W. E. B. Dubois, e fala do Congresso Pan-Africano de Manchester, em 1945. Ralph Bunche, um homem importante nas Nações Unidas, era amigo do chefe Koinange. Mbiyũ fora educado nos Estados Unidos e deve ter feito muitos amigos. Mas os soldados que vieram até a Kenya Teachers' College em Gĩthũngũri, em 1944, e cantaram cantos religiosos negros talvez fossem a origem dos boatos sobre negros americanos vindo nos ajudar a lutar com os ingleses. Ngandi nos lembra que Mbiyũ estava livre — no estrangeiro, quem sabe? Tudo sempre volta a Mbiyũ, o gênio, embora Kĩmathi, o general, esteja ocupando cada vez mais o palco central.

É Kĩmathi quem irá libertar Kenyatta. Para convencer olhos e ouvidos céticos, Ngandi conta a história de como Dedan Kĩmathi uma vez se disfarçou de policial branco e foi jantar com o governador, enviando-lhe depois um bilhete de agradecimento. Ele conta outras proezas impressionantes: como Kĩmathi consegue se arrastar de barriga no chão por muitos e muitos quilômetros; como faz seus inimigos acharem que o avistaram, mas antes que possam puxar as armas, perdem-no de vista — em seu lugar, um leopardo os encara antes de saltar para os arbustos. Essa faceta de Kĩmathi é mais atraente para minha imaginação, e eu peço para ouvir mais sobre aquelas proezas espetaculares.

Fico espantado com a extensão do conhecimento de Ngandi — Gĩthũngũri devia mesmo ser uma faculdade muito boa —, mas ainda mais espantado com a maneira como Ngandi passa do natural ao sobrenatural e volta sem nem piscar. Fato, ficção, ou os dois, Mzee Ngandi abrange tudo com seu tom factual e ironia ocasional, para não mencionar o hábito de assobiar para si mesmo.

Anos depois, em meu romance *Weep Not, Child* [Não chore, criança], eu daria ao jovem Njoroge ficcional uma aura de fato e boato, certeza e dúvida, desespero e esperança, mas não estou certo de que realmente tenha conseguido capturar a teia complexa do mundano e do dramático, a normalidade surreal da vida comum em tempos extraordinários num país em guerra. Nos fatos e boatos sobre o julgamento e prisão de Jomo Kenyatta e os feitos heroicos de Dedan Kĩmathi, o real e o surreal tornavam-se uma só coisa. Talvez sejam os mitos, tanto quanto os fatos, que mantenham os sonhos vivos mesmo em tempos de guerra.

25

Vou avisar seu pai que você já está pronto para se tornar um homem, diz minha mãe perto do fim de 1953, a primeira vez que ela menciona meu pai desde que saíra da casa dele há muitos anos. Os pais devem dar permissão para o rito de passagem. Mas vou participar do ritual naquela época obedecendo a uma voz do além. As últimas palavras de minha avó foram claras: Ndũng'ũ, filho de Kĩmũchũ, não podia me deixar para trás. Assim, a data deve coincidir com a data escolhida por Ndũng'ũ para o rito de passagem. Por sorte, a data escolhida bate com as férias escolares de fim de ano.

Nos tempos pré-coloniais, a circuncisão entre os Gĩkũyũ marcava a passagem para a vida adulta. Em uma sociedade em que a governança, as obrigações militares, a lei e a moralidade pressupunham a sucessão de gerações, aquele ritual era uma etapa necessária na escalada social, para o equilíbrio e a continuidade do todo. Toda a cerimônia — a preparação, o ato e a cura — era por isso comunal, familiar e pessoal ao mesmo tempo. Nos velhos tempos, as datas teriam sido estabelecidas por um conselho de anciãos para toda a nação. Os candidatos, rapazes e moças, passavam pelos três estágios mais ou menos na mesma época. Todos os iniciados naquele período perfaziam o grupo etário daquele ano específico, e cada um receberia um nome que lhes permaneceria único para sempre. O grupo etário também refletiria a família e o clã em termos de identidade pessoal e expectativas de lealdade. Mas a lealdade a um grupo etário específico era mais forte porque atravessava famílias, clãs e regiões.

Foi por isso que Mbiyũ Koinange conseguiu usar a lealdade etária como ferramenta mobilizadora para fundar a Kenya Teachers' College em Gĩthũngũri. Mas na sociedade colonial a organização do poder se baseava em critérios legais diferentes, abrangendo várias nações, que haviam organizado sua vida pré-colonial de acordo com tradições culturais particulares. Assim, mesmo para os Gĩkũyũ, a circuncisão na minha época já não tinha o mesmo papel jurídico, econômico e político de outrora. Já não conferia direitos especiais sancionados pela comunidade, nem exigia o cumprimento de obrigações especiais definidas pela comunidade. Na minha época, só havia resquícios do passado comunal do rito. Muitos homens, mesmo os sem afiliação religiosa, iam aos hospitais para a cirurgia. Eu não seria um deles. Eu queria passar por aquilo. Esperava que aquilo contribuísse para minha identidade e senso de pertencimento, algo que sempre almejara.

Das três fases — antes, durante e depois do rito —, considero a fase preparatória a mais agradável: é como um carnaval, com performances que vão de casa em casa. Nos tempos antigos a celebração ia de aldeia em aldeia, região em região, limitando-se a distâncias que podiam ser percorridas a pé. Minhas irmãs e irmãos das casas do meu pai e da minha mãe vieram para cozinhar e ajudar nas tarefas, e a maioria ficou para a noite especial de Mararanja, a véspera do ritual, quando quase ninguém consegue dormir.

Eu já vi isso antes, quando se tratava do rito de outros, porque todos, adultos e crianças, homens e mulheres, podem participar da dança e da cantoria. Mas se perder no ritmo do festival é mais difícil quando se é um candidato para entrar na faca. Além disso, minha voz havia mudado e perdera suas características. Eu costumava cantar canções de letra estabelecida, mas em nossa casa a cantoria agora era estritamente no esquema chamada-e-resposta, com desafios inesperados feitos aos candidatos. Era uma improvisação lírica com melodia fixa. O candidato deve ser alerta, criativo e rápido, mas por sorte é possível receber ajuda dos que são mais hábeis, e meus parentes estavam lá para me ajudar. Alguns dos desafios têm natureza erótica; de fato, todas as danças e canções contêm versos lascivos e movimentos sugestivos dos quadris. É um período em que é permitido falar sobre sexo, mas não tomar parte. Os limites são traçados com firmeza entre a mímica e a realidade. Versos satíricos se alternam com insultos vulgares e respostas igualmente vulgares, terminando com palavras de reconciliação ternas. A noite inteira é um festim musical com melodias variadas, muita dança, e com um trânsito constante de pessoas entre nossa casa e a casa de Ndũng'ũ.

Estou desfrutando tudo isso, mas penso na faca cortando a carne. Também penso em meu amigo Kenneth. Não sei os detalhes, mas um conflito familiar impede a unanimidade sobre a candidatura dele para o rito. Ndũng'ũ e eu vamos deixá-lo para trás. Sinto muito por ele e por todos os meus colegas, porque depois de amanhã eu já não poderei mais brincar com eles, pois seria como um adulto brincando com crianças. O vão que se abre entre os iniciados e os não iniciados é abrupto, profundo e amplo, e só pode ser fechado ao se passar pelo rito.

Finalmente chega a manhã do evento. Eu não dormi nada. Mas ainda assim ordenam que me levante bem cedo para o *menjo*, a cerimônia de raspar os cabelos da cabeça e os pelos pubianos. Primeiro tenho que tirar minhas roupas, simbolizando que eu também estou me livrando de minha infância. O cabelo tosado é enterrado no chão, simbolizando o sepultamento daquele estágio da minha vida. Eu permaneço nu, e então vamos até as águas de Manguo. É um longo caminho até lá, me parece, embora sejam menos de três quilômetros. Homens, mulheres e crianças nos seguem, empurrando-se, dançando e cantando, alguns sacudindo folhas verdes no ar. Quando todos os candidatos se reúnem perto das águas, a procissão de acompanhantes já se tornou uma aglomeração maciça, circulando ao redor.

De repente, surge uma surpresa na cerimônia da água. Kenneth Mbũgua obteve permissão de participar, afinal. Seus pais decidiram que de maneira alguma nós, colegas de aula e amigos de Kenneth, o deixaríamos para trás. Mas não há tempo para raspá-lo, e por isso ele é o único candidato com cabelo e pelos pubianos. Fico feliz de vê-lo, mas não há tempo para conversar. Estamos sendo pastoreados rumo ao nosso destino.

A água está extremamente fria, gelada, mas de novo me pego pensando na faca. Será que conseguirei suportar a dor e superá--la com bravura? Eu sei que os meus parentes estão preocupados. A covardia é definida em termos bem estreitos. Se eu piscar, fizer o menor ruído ou esboçar uma careta, trarei vergonha a minha família e comunidade, e a palavra "covarde" me seguirá como estigma pelo resto da vida. Os candidatos são uma mescla entre aqueles que frequentaram a escola e aqueles que não a frequentaram. Achava--se que os estudantes tinham sido amaciados pelos livros e pelo aprendizado moderno. Que nós não aguentávamos dor. Sinto o olhar dos curiosos em mim.

Cada um tem seu guardião. O meu é meu meio-irmão Njinjũ wa Njeri, o terceiro filho da quarta esposa de meu pai. Yongĩ é o guardião de Ndũng'ũ. Não tenho certeza sobre quem é o de Kenneth, mas, sinceramente, neste momento em que me fazem sentar na relva estou preocupado apenas com meu destino. Minhas pernas estão abertas, com os joelhos dobrados, firmemente plantadas no chão. Minhas mãos formam figas, com o polegar entre o indicador e o médio, meus cotovelos descansam sobre meus joelhos. Minha virilidade está exposta para todos verem, mas na verdade eles não estão interessados nisso; estão mais preocupados com a minha reação quando a faca tocar o prepúcio. Ouço alguém se aproximando. É o cirurgião. Meu guardião está atrás de mim, me segurando pelos ombros. Permaneço completamente paralisado: Ó Senhor, permita que eu passe por isso sem fraquejar. Durante os preparativos, as pessoas nos contaram histórias assustadoras sobre a faca cortando muito fundo por acidente, ou até cortando fora um pedaço do membro. Eu não acredito, mas... mas vamos supor que algo desse errado? Eu não conheço o cirurgião; ouvira dizer que Mwangi Karuithia, meu parente, oficiaria a cerimônia. Eu nem chego a ver o rosto do cirurgião. O ato acaba antes de eu notar que algo tinha acontecido. Nem sinto a faca. A água fria adormecera minha pele. Meu guardião me cobre rapidamente com um pano branco que vai dos ombros até os pés; todas as mulheres ululam de orgulho. Sinto que consegui. O mesmo sucede com Ndũng'ũ e Kenneth. Depois da cirurgia, é permitido expressar dor da maneira que quisermos, até chorando; agora não há mais estigma sobre tais reações, mas mesmo assim tento me controlar. Não devo contribuir com a opinião, com a qual não concordo, de que o aprendizado pelos livros nos torna fracos e delicados.

Caminhamos de volta. Os lados de nossas togas brancas são presos por uma fileira de alfinetes de segurança. Os Gĩkũyũ não removem completamente o prepúcio, que fica dependurado na ponta do pênis. Ensinaram-me como andar com as pernas separadas, uma das mãos segurando o pênis com um dedo mantendo a ponta do membro afastada, para não roçar contra o prepúcio pendurado ou o tecido. A caminhada é difícil e lenta. A comitiva que nos acompanhara até a água já desapareceu quase completamente, sem dúvida para recuperar o sono ou as tarefas atrasadas.

Nós três, Kenneth, Ndũng'ũ e eu, finalmente chegamos ao barracão da cura, uma cabana pequena, muito encravada nas terras do meu avô, mas não muito perto de nenhum lar. Nós, os iniciados, jazemos em esteiras de palha, cobertos com lençóis e mantas. Kenneth tem um mentor, Karanja Zinguri. Nossos três mentores dormem num quarto em frente, com um espaço comum entre nós.

Mas podemos ouvi-los, e eles a nós. Os iniciados não podem voltar para suas vidas normais em casa. Nós somos segregados. Temos que ficar na cabana por pelo menos três semanas. A comida será trazida até nós, mas nem mesmo nossos parentes podem passar da porta sem permissão dos guardiões. Durante o período de cura, nossos três guardiões são nosso único contato com o mundo. Eles são nossos mentores, guias e instrutores nos caminhos da vida adulta e das responsabilidades masculinas.

Embora eles se preocupem com nosso bem-estar físico, nossos mentores também devem nos treinar no autocontrole. Ao perguntarmos sobre nossos prepúcios inchados, que parecem infeccionados, recebemos a horrível resposta de que ali estava nascendo um segundo pênis. Se eu soubesse que o ritual implicava ter dois pênis... mas eu nem quero contemplar tal possibilidade. Ocasionalmente eles trazem moças para simular o ato sexual, uma exagerada performance com sons eróticos feitos para chegar aos nossos ouvidos. Isso faz com que fiquemos rijos, o que estica a pele ainda em processo de cura, causando uma dor excruciante, até que um de nós grite: Pare! Pare com isso! Eles então aparecem rindo e pregando sermões sobre o autocontrole. O meu medo de "nascer" um segundo pênis em mim só passa quando o prepúcio se torna apenas uma bolinha macia na ponta do meu membro. E então eles nos dizem para que serve aquilo. É bom para a mulher; massageia-a durante o ato — e é por isso que é chamada de *ngwati*, "amante", parceiro das práticas amorosas.

Mais tarde, quando estivermos bons o bastante para caminhar sem tanta dor, receberemos permissão de socializar com iniciados de outras aldeias antes de voltar ao barracão para dormir. Outros iniciados também podem nos visitar. Todos os iniciados somos identificáveis pelo uniforme: um tecido longo usado feito toga e preso por alfinetes de segurança. Um cajado de bambu completa a indumentária. Quando caminhamos pela estrada, pessoas de todas as idades abrem caminho.

Por fim chega o dia em que recebemos nossas roupas normais de volta, dizemos adeus ao barracão e aos mentores e vamos para casa, para nossa vida rotineira, com uma diferença: eu agora sou um homem. Pertenço a um novo grupo etário. Cortei todos os vínculos com os amigos que não passaram pelo rito. Não posso me socializar com eles, brincar com eles, compartilhar segredos com eles. Nosso contato e nossa conversação são mínimos e formais. É como se eu tivesse saltado por sobre uma parede invisível para um outro lado da vida. Do outro lado da parede está meu eu anterior; deste lado, meu novo eu. Agora sou bem-vindo na companhia de Wallace, meu irmão mais velho, e de seus amigos. Posso frequentar suas festas e me inteirar de suas piadas e histórias sobre mulheres.

Kahanya, amigo próximo do meu irmão, me toma sob sua proteção e facilita meu ingresso na companhia dos homens. Ele me apresenta à moça com quem em breve perderei minha virgindade, o último rito de entrada em um novo mundo. Não é um grande momento, mas é a prova de que preciso para de fato assimilar que me tornei homem.

Embora todo o rito de me tornar um homem tenha deixado uma impressão profunda em mim, saio dessa experiência ainda mais convencido de que, na nossa época, educação e aprendizado, e não uma marca na carne, representam o caminho de se dar poder a homens e mulheres.

26

Nós voltamos à Escola Intermediária Kĩnyogori. Seriam dois anos de escola intermediária, entre o ensino fundamental e o médio, mas ficaríamos lá um ano apenas, tendo passado o ano anterior no antigo local em Manguo, esperando a finalização dos prédios do novo estabelecimento. A escola estava sob a tutela do Comitê de Educação do Distrito de Kiambu. Aquela seria a terceira mudança em meu histórico escolar elementar.

Era 1954, um ano importante, o último estágio de minha educação primária, no final do qual eu faria os Exames Preliminares Africanos do Quênia, um rito de passagem educacional eliminatório. Havia exames correspondentes para asiáticos e europeus, para ingresso em escolas de ensino médio igualmente segregadas racialmente. Integração não era uma exigência central da política anticolonial, exceto pelo clamor geral pedindo o fim da segregação profissional baseada na cor. A integração escolar aconteceria mais tarde, depois da independência, em 1963. As principais exigências eram por terra e liberdade, e oportunidades iguais nas instituições de ensino. Havia bem poucas escolas de ensino médio para africanos, e a competição para frequentá-las era extremamente acirrada, com muitos estudantes ficando pelo caminho. A situação piorou depois do fechamento das escolas independentes e da Kenya Teachers' College em Gĩthũngũri. O Relatório Beecher, que tentava otimizar e expandir o ensino médio na África, estava defasado com relação às necessidades da época antes mesmo de ser publicado, e a competição se intensificou.

Para nós, os desafios não eram puramente acadêmicos nem restritos ao universo escolar. Um desafio simples era a localização: Kĩnyogori ficava a nove quilômetros de distância. Os desafios mais difíceis eram, claro, a obtenção de bolsa de estudo e uniformes. A longa caminhada para a escola fornecia oportunidade para as novidades e diversão: trocávamos histórias sobre o que tinha acontecido em nossos lares e vizinhanças. O estado de emergência adquirira as dimensões de uma enorme criatura misteriosa, sempre crescendo enquanto vinha em nossa direção. Todos tinham uma história sobre o que o monstro tinha feito às suas famílias, vizinhos ou parentes em Nairóbi — vítimas de operações como a Jock Scott e a Operação Anvil do general Erskine, que tencionavam remover todos os membros das comunidades Gĩkũyũ, Embu e Meru de Nairóbi. A criatura se tornou o instrumento do que agora era a política colonial oficial: o desalojamento de milhares. Limuru ficava a apenas vinte e oito quilômetros da capital. Havia rumores de morte, e de centenas sendo levados para campos de concentração. Claro que algumas histórias eram sobre como fulano tinha conseguido escapar de alguma armadilha, mas a maioria era sobre a desolação causada pelo estado de emergência.

Nas aldeias, espalhavam-se as histórias sobre como alguns tinham evitado o trabalho comunal forçado e o comparecimento compulsório às *barazas*: como alguns pais ou mães tinham se trancado dentro de latrinas fétidas, mas mesmo assim foram descobertos pelos Guardas Nacionais; outros que fingiram doença ou morte, sem sucesso; outros que tinham se escondido em buracos cavados, depois cobertos para disfarçar. Era claro que as batidas diurnas e noturnas estavam desestabilizando as famílias, prendendo ou incapacitando os arrimos de família e enfraquecendo a capacidade dos pais de cuidarem dos filhos. As pessoas viviam sob dois medos: das operações do governo de dia, e das atividades da guerrilha Mau Mau à noite; a diferença era que as guerrilhas lutavam por terra e liberdade, e o Estado colonial lutava para manter a ocupação estrangeira e proteger as prerrogativas e riqueza dos colonos europeus.

As batidas diurnas dos ingleses, ajudadas por esquadrões legalistas de Guardas Nacionais, eram com frequência súbitas e inesperadas. Rapidamente eles cercavam e isolavam o mercado de Limuru. Os capturados eram obrigados a ficar agachados em grupos de dois, três ou quatro, dependendo do tamanho da multidão, com as mãos juntas atrás das costas, enquanto eram vigiados por todos os lados por tropas inglesas formadas por oficiais brancos e policiais negros. Eles ficavam naquela posição incômoda sob o sol calcinante enquanto aguardavam a triagem. Um a um eles iam até a mesa onde estava um oficial inglês armado. Ao lado dele havia um ou dois homens encapuzados, chamados *gakũnia*, que acenavam sim ou não quanto ao envolvimento daquela pessoa com os Mau Mau. Um aceno positivo significava que o suspeito seria interrogado mais a fundo e depois seguiria para um campo de concentração. Essas triagens em massa eram temidas, e quando os caminhões do Exército eram avistados, o aviso corria célere. Muitos rapazes abandonavam o posto de trabalho e iam se esconder ou fugiam, às vezes debaixo de intenso fogo de metralhadoras. Eu escutava essas histórias pensando em todo o mal que ainda não havia se abatido sobre a casa de minha mãe, e agradecendo minha boa sorte. Houve ocasiões em que escapamos por pouco. Houve um incidente cuja lembrança sempre tentei suprimir.

Aconteceu meses antes de eu me tornar homem. A escola ficava em Manguo na época. Não sei o que deu em mim que me fez correr para casa em busca de um almoço que eu sabia que não existia. Minha mãe e minha irmã Njoki, sentadas no quintal catando os feijões que cozinhariam mais tarde, ficaram surpresas ao me ver naquele horário, e, previsivelmente, não havia nada para acalmar minha fome.

Minha mãe se ofereceu para assar algumas batatas, a única coisa disponível, mas aquilo levaria horas, e eu acabaria perdendo a escola ou me atrasaria bastante. Olhei desejoso para as frutas verdes de uma pereira próxima. Minha mãe nunca deixava que colhêssemos frutas verdes; ela dizia que aquilo interferia no ritmo natural da planta, e ela não queria ferir seus sentimentos. Mas daquela vez ela não objetou, embora não demonstrasse anuência com um gesto. Depois de comer corri para a cabana, bebi um pouco d'água e corri de volta para o quintal, pronto para retornar à escola.

Foi minha mãe quem subitamente notou as pessoas correndo furtivas pelos milharais ao redor. Ela gritou para que eu voltasse. Vendo que eu hesitava, ela me lembrou que tinha sido ela a firmar o pacto comigo, e era ela quem estava me dizendo para ignorá-lo agora. Faminto e frustrado apesar das peras verdes, ignorei seu chamado e continuei avançando pelo caminho ao longo das sebes que separavam nosso terreno do de Kahahu. Não tinha ido muito longe quando escutei um tiroteio. Silêncio. Então eu os vi à distância, os Johnnies, como chamávamos os soldados ingleses, espalhados pelos campos em redor. Eu me escondi atrás de um eucalipto-azul e comecei a recuar devagarzinho, esperando que a árvore obstruísse a visão deles. Então ouvi mais disparos. Gritos e choro. Disparos. Eu me joguei no chão e comecei a engatinhar, e então depois de algum tempo me levantei e comecei a correr para casa. Minha mãe e minha irmã, que ainda estavam no quintal, me arrastaram para a cabana. Nós ainda podíamos ouvir som de tiroteio, mas depois de algum tempo os sons cessaram. Os Johnnies nem chegaram perto de nossa casa. Eu estava abalado, mas aliviado de não ter corrido direto na linha de fogo das metralhadoras. Provavelmente foi a primeira vez que faltei à escola sem ser por motivo de doença.

Quando, à noite, Wallace e seus amigos vieram para casa, todos tinham histórias para contar sobre como haviam escapado. Muitos foram levados para interrogatórios em campos de concentração. Eles falavam sobre os boatos de morte, mas não tinham certeza das vítimas nem se aquelas eram apenas outras das histórias que surgiam a cada batida. Era claro que aquela não era a primeira vez que meu irmão e seus amigos tinham fugido de batidas no mercado.

Dias depois soubemos que algumas pessoas tinham morrido, e uma das baixas foi Gĩtogo, meu meio-irmão, o último dos filhos de Wangari. O caso dele foi trágico. Gĩtogo trabalhava em um açougue em Limuru. Ele começara a correr, seguindo o exemplo dos outros. Ele era surdo, e por isso não ouviu o oficial branco gritando *simama*, "pare". Atiraram nele pelas costas.

A morte dele exemplificava o que estava começando a acontecer com as famílias em toda parte. Gĩtogo era o irmão mais novo de Joseph Kabae, um ex-militar, dono de uma firma de serviços jurídicos e de secretaria, que agora trabalhava para o Estado colonial. Ele era um dos poucos com licença para portar pistola, embora sempre usasse roupas civis.

Eu me lembrava de Gĩtogo como uma presença jovial e constante nas sessões de histórias na cabana de sua mãe, apesar do fato de ele não poder ouvir. Gĩtogo era um jovem bonito, tinha uma personalidade cativante e nunca fizera mal a ninguém. Sempre se mostrara disposto a ajudar os outros, particularmente quando era necessário erguer cargas pesadas. Fiquei triste ao saber de sua morte. Mas como tínhamos vivido longe da casa de meu pai por alguns anos, a morte de Gĩtogo, embora dolorosa, talvez não tenha me atingido tão diretamente como teria se se tratasse de alguém com quem eu tivesse contato diário.

Na época em que passei pela cerimônia de me tornar homem e voltei a estudar em Kĩnyogori, a memória dessa tragédia havia evanescido. Os humanos trivializam o incomum para poder sobreviver. Eu ainda podia agradecer minha sorte, pois embora a criatura "estado-de-emergência" tivesse tocado a casa de meu pai, ela ainda não chegara ao terreno de minha mãe.

Pelo contrário, tinha havido um feliz acréscimo ali. Wallace se casara com Charity Wanjikū, a bela moça-guia das Colinas da Banana, e eles tinham sido abençoados com Mūturi, seu primeiro filho.

Era interessante ver Wallace, o eficiente carpinteiro, tornar-se um homem de família, um pai carinhoso, sempre ansioso para chegar em casa e ver a esposa, olhando para o recém-nascido como se não conseguisse acreditar que se tratava de sua carne e sangue. Antes do nascimento do filho, ele ainda vivia a vida de solteiro de antes, às vezes passando a noite na loja, ou na companhia dos amigos. Mas agora nós o víamos quase toda noite, o que nos fazia sentir mais seguros e unidos como família.

Veículos militares, batidas, triagens, sirenes do posto da Guarda Nacional, os sons das metralhadoras, tudo aquilo começava a se tornar parte da vida diária. Faziam-me sentir que a criatura, apesar de lenta, se aproximava inexoravelmente da casa de minha mãe.

E, no entanto, quando a criatura enfim chegou naquele dia de abril de 1954, eu estava completamente despreparado para ela.

27

O Bom Wallace era membro da equipe responsável pelos suprimentos do exército de guerrilha nacionalista, o Exército Terra e Liberdade do Quênia. Ele e Tio Gĩcini combinaram de se encontrar com uma fonte aliada que lhes forneceria munição. A fonte era o irmão de uma moça com quem meu irmão tinha namorado, mas de quem ele se separara amigavelmente. O encontro foi ao ar livre, em uma estrada que unia as antigas lojas indianas ao mercado africano. Entre o trecho de terra de minha mãe e a estrada havia uma pequena sebe. Na época, minha mãe estava cuidando de uma horta mista de milho verde e feijão. O Bom Wallace e Gĩcini gritaram um oi para ela. Fora isso, nada do que ocorria na estrada a perturbava. Doze balas e dinheiro trocaram de mãos e o contato foi embora. Wallace e Gĩcini dividiram as balas entre eles, seis para cada. Wallace guardou sua parte no bolso interno da jaqueta, e Tio Gĩcini, no bolso da calça.

Tio Gĩcini e meu irmão não tinham se afastado um passo quando uma caminhonete da polícia apareceu de repente e os deteve. Sem saber que o contato era um informante, eles acharam que se tratava do assédio policial costumeiro na época. Acreditaram que poderiam sair daquilo conversando, ou talvez até subornando os oficiais. O policial que deveria revistá-los começou pelo meu irmão, verificando todos os bolsos, menos o que guardava as balas. Depois o policial foi até o Tio Gĩcini e encontrou seis balas em seu bolso.

Enquanto a polícia se concentrava no Tio Gĩcini, meu irmão enfiou a mão no bolso interno, pegou as balas e as jogou por sobre a sebe, do lado que minha mãe estava cultivando. A polícia estava ciente do número de balas que havia trocado de mãos, mas só conseguiu encontrar seis. Intrigado, o mesmo policial algemou Gĩcini e voltou para revistar meu irmão outra vez, sem esquecer o bolso interno agora. Novamente, não encontrou nada.

De qualquer maneira os dois foram conduzidos até a delegacia para interrogatório, mas foram tratados de maneira diferente. Gĩcini, aparentemente mais perigoso, ficou no banco do passageiro, algemado e prensado entre policiais. Meu irmão foi jogado na traseira da caminhonete, sem algemas, vigiado por apenas um policial. Àquela altura, a confusão atraíra a atenção de minha mãe, que olhou por cima da sebe. Meu irmão disse a ela que não se preocupasse; ele ficaria bem. Ela devia simplesmente *thikĩrĩra mbembe icio wega*. Essa frase tem dois sentidos. O mais comum é um simples pedido para cobrir as raízes do milho com fertilizante. Mas também significava enterrar grãos de milho. *Mbembe* era um código secreto Mau Mau para "balas". Então podia significar "Esconda as balas com cuidado". A lei naqueles dias era clara. Qualquer um pego com balas era enforcado em Gĩthũngũri, na antiga Kenya Teachers' College.

O Bom Wallace decidiu escapar. Ele pulou da caminhonete e fugiu pelas lojas indianas com as balas assobiando atrás dele, uma fuga que deu início a várias narrativas, como a versão que ouvi naquele dia quando voltava para casa de Kĩnyogori.

A narrativa verdadeira surgiu mais tarde, com o tempo. Naquela noite nossa mãe não nos deu detalhes sobre seu papel ou sua presença na hora da prisão do Bom Wallace. A esposa de meu irmão, com o primogênito nos braços, também não dizia nada, aflita sem dúvida por emoções conflitantes. A fuga de meu irmão tornou-se lenda instantânea, mas para minha mãe, para sua noiva recente e seu filho, para nós, era apenas uma fonte de alívio. Ele escapara com a vida intacta. Mas nós também ficávamos suspensos entre o medo e a esperança. Será que ele sobreviveria à caçada? E a vida nas montanhas? Mas não dávamos voz a nossos medos e esperanças nem entre nós mesmos. Apenas sentávamos encolhidos ao redor da fogueira, com as sombras e a luz brincando em nossos rostos. Minha mãe era a única que falava, recebendo todos enquanto nos recomendava cuidado com a língua. O temido estado de emergência finalmente chegara à casa de minha mãe.

Não era para eu deixar ninguém descobrir que nós sabíamos para onde o Bom Wallace tinha ido porque, de fato, tecnicamente nós não sabíamos. Para impressionar, ela perguntava de novo: Vocês entenderam?, olhando para mim e meu irmão. Se alguém perguntar onde ele está, digam apenas: não sei.

Não preciso que me digam. Dentro de mim eu sei. É estranho que quando eu acordo de manhã, tudo parece igual: o céu, a terra, a vizinhança. E no entanto tudo mudou. Amanhã, quando eu for para a escola ou ler um jornal, ou falar com Mzee Ngandi e ouvir falar dos Mau Mau e seus feitos e mortes heroicas, a conversa não será abstrata, acontecendo longe, na floresta de Nyandarwa e no Monte Quênia. Estarei pensando em meu irmão, que eu amei: seu trabalho árduo, sua determinação, sua imaginação, seu amor e lealdade aos amigos. Estarei pensando em Joseph Kabae, que outrora ensinara o Bom Wallace a datilografar. Agora o professor e o aluno estavam de lados opostos do conflito. Sim, estarei pensando na cisão na casa de meu pai, com Tumbo e Kabae, dois dos filhos de Wangari, trabalhando como agentes do Estado colonial, e o meio-irmão deles nas montanhas, tentando derrubar o Estado colonial. Ah, sim, irmãos que se amam agora guerreiam.

Contam uma história sobre como meu irmão Wallace foi visitar uma vez Mwangi wa Gacoki, o filho da segunda esposa do meu pai. Wa Gacoki na época trabalhava na fábrica de calçados Bata de Limuru, e vivia em uma das casas de quarto único da empresa. Por uma dessas coincidências do destino, Tumbo, o informante, filho mais velho de Wangari e irmão de Kabae, decidira visitar Mwangi wa Gacoki na mesma hora. Quando eles se encontraram no portão, partiram imediatamente em direções diferentes — o Bom Wallace em direção às montanhas e meu meio-irmão Tumbo para a delegacia. Logo houve uma grande varredura na área. Mas obviamente Tumbo não mencionou Wa Gacoki, porque ele jamais foi chamado para ser interrogado sobre o incidente, nem acusado de ajudar um guerrilheiro anticolonialista. Ou talvez Tumbo não soubesse que Wallace estava indo visitar Mwangi wa Gacoki, já que os distritos dos trabalhadores eram muitos, e sempre lotados. Motivos e lealdades conflitantes podem ter exercido influência.

E ainda assim as lealdades divididas não rompem nosso senso de pertencer à mesma família. As coesposas de minha mãe não a abandonam; ainda encontram tempo para ir visitá-la em casa ou no campo. Mas presumo que não falem de Kabae ou Tumbo, nem do meu irmão. Ou talvez elas saibam que, no fundo, os filhos em luta sempre serão seus filhos, e esperam que por fim todos eles voltem para casa em segurança. Os Gĩkũyũ têm um ditado: do mesmo útero saem o matador e o curandeiro.

A fuga de meu irmão para as montanhas muda nossa relação imediata com o mundo exterior. Mas eu aprendo isso do jeito difícil. No início, nem a esposa de meu irmão nem eu conseguimos acreditar. Parece impossível, mas Kahanya, o amigo mais próximo de meu irmão, o homem a quem ele ensinou carpintaria e empregou como assistente na loja, se uniu à Guarda Nacional. Não, não era possível que Kahanya iria se juntar àqueles que caçavam meu irmão. Não é possível que o homem que casara com uma moça dos Kĩhĩka, uma das famílias anticolonialistas mais militantes, iria se voltar contra aquilo em que seus sogros acreditavam. Eu me recuso a acreditar.

Um dia encontro Kahanya usando a faixa branca no braço que o identifica como membro da Guarda Nacional. Ele está na companhia de outro guarda, Gĩkonyo Marinda, que também é do grupo etário do meu irmão. O encontro se dá no caminho que então passava pela casa de Edward Matumbĩ, em cujos lados ele plantara milho verde. Eu quase congelo. Eles param. Gĩkonyo me encara como se eu estivesse contaminado com o mal. Mas Kahanya, embora não me olhe diretamente, me cumprimenta e pergunta: O Bom Wallace entra em contato com você? Eu digo que não, o que é verdade mesmo. Ele me diz, em tom de chacota: A gente soube que seu irmão foi promovido a capitão. Respondo que não sei e continuo meu caminho, e eles continuam o deles, rindo. Mais tarde eu soube que ambos tinham feito juramento como seguidores dos Mau Mau. E tinham simplesmente mudado de lado. Como posso compreender as contradições nessa luta que, na versão de Ngandi, era a luta entre o colonial e o anticolonial, o bem e o mal? O que agora surge ao meu redor é nebuloso.

Certa manhã vou visitar meu avô, como de costume. Embora eu agora seja um homem, ainda sou o escriba dele, e pássaro de bom augúrio. Ele não menciona a fuga de meu irmão para as montanhas, mas noto que já não se mostra entusiasmado com a visita matutina como antigamente. Em outra ocasião ele me diz que não preciso mais visitá-lo tão perto do nascer do sol. Faço uma terceira visita à luz do dia: ele deixa claro que eu já não sou seu pássaro de bom augúrio em qualquer hora que seja. Já não sou seu amado escriba.

No início isso me magoa. Ele é o pai de minha mãe; eu recebi seu nome. Uma vez ele se escondera em nossa casa no escuro. Mas esse era justamente o ponto. Meu avô já tinha perdido Kĩmũchũ, seu amado filho adotivo, e agora podia perder Gĩcini, seu próprio sangue. Seu neto, filho de sua filha que vivia em suas terras, tornara-se um guerrilheiro Mau Mau. Fico triste por perder meu lugar especial como seu escriba e pássaro de bom augúrio, mas de alguma forma eu entendo. A casa de minha mãe se tornou uma ameaça para os outros.

Mas nossa família se mantém unida em volta de minha mãe. Além do conforto que a casa dela me traz, tenho a escola. Embora o medo de perder meu lugar em Kīnyogori nunca me abandone, isso não chega a acontecer. Eu sou grato. E busco refúgio no estudo.

28

Houve muitos professores da escola primária que, à sua maneira, contribuíram para meu crescimento intelectual. Mas quem influenciou mais definitivamente minha vida foi o sr. Samuel G. Kĩbicho. Ele se formara na Kagumo Teacher Training College. Tornara-se diretor da recentemente reaberta escola de Manguo, e foi sob sua direção que a escola se mudou para Kĩnyogori. Ele foi meu professor de inglês durante meus últimos dois anos em Manguo e Kĩnyogori.

Nossos livros didáticos da quinta série eram os *Oxford Readers for Africa*. Os livros mostravam dois personagens, John e Joan, que viviam em Oxford mas iam para a escola em Reading. Eu vi que eles iam para a escola de trem, o que despertou inveja em mim. É claro, Oxford ficava na Inglaterra. Não acho que algum dos nossos professores chegou a ir lá, portanto os lugares mencionados nos textos deviam ser tão estranhos para eles quanto para nós. Nós seguimos John e Joan em toda parte, especialmente em Londres, onde eles iam passear em pontos turísticos arquitetônicos, históricos e naturais, incluindo o rio Tâmisa, as casas do Parlamento com o Big Ben e a Abadia de Westminster. A escola agora seguia o currículo comum do governo para as escolas africanas, e por isso os professores tinham que usar os textos oficialmente sancionados. O sr. Kĩbicho conseguia ir além dos textos, e citava muitos exemplos naturais do nosso ambiente. Ele era excelente em gramática inglesa. Ele me fez compreender a estrutura da língua e como usá-la em sentenças simples e complexas, ou como construir uma sentença de complexidade crescente a partir de uma simples. Do simples ao complexo: aquela abordagem realmente me marcou. Se isso fosse tudo, ele teria sido apenas outro bom professor na minha vida.

Mas ele tinha textos literários em sua biblioteca pessoal. Não sei como ele notou meu interesse em leitura, mas ele me deu a versão resumida de *Grandes esperanças*, de Charles Dickens, que mais tarde passei para Kenneth. Depois Kenneth pegou com ele *Lorna Doone*, de Richard Doddridge Blackmore, e passou para mim. Tínhamos que devolver o livro que o outro tomara emprestado antes de pegarmos mais. Trocando entre nós os que tomáramos emprestados, Kenneth e eu sempre tínhamos dois livros para ler. Nós nos tornamos leitores ávidos e falávamos sobre o que tínhamos lido. De todos os livros que lemos, o mais fascinante e memorável foi *A ilha do tesouro*, de Robert Louis Stevenson. Os outros livros eram versões simplificadas, mas aquele não, ou pelo menos não muito. Nós pegamos esse livro várias vezes. Kenneth e eu falávamos sobre tudo, a história, os personagens, especialmente Long John Silver e seu papagaio. Eu me identifiquei com Jim Hawkins, com seus receios e esperanças, sua ingenuidade, as escapadas por um fio. Nós decoramos certas frases e canções:

> *Quinze homens em cima do baú do morto*
> *Iô-ho-ho e uma garrafa de rum!*
> *A bebida e o diabo acabaram com o resto...*
> *Iô-ho-ho e uma garrafa de rum!*

Às vezes, no pátio da escola, Kenneth e eu recitávamos "Iô-ho-ho" para surpresa, confusão e curiosidade dos outros estudantes. Discutíamos a possibilidade de nos lançarmos ao mar para virar piratas, mas não havia nada além de rios e os charcos de Manguo em Limuru, e Mombasa ficava muito longe.

Foi Stevenson o causador de minha primeira grande disputa literária. Eu confidenciei a Kenneth que gostaria de escrever histórias como as de Stevenson, mas que era necessário ter uma licença para escrever. E para ser qualificado a escrever, era preciso ter educação superior. Kenneth teimava que não era necessário ter licença para escrever, nem qualificação nenhuma. Retorqui que quem escrevia sem autorização certamente era preso. Não sei de onde saiu essa minha ideia de ser preso por escrever. Talvez Mzee Ngandi tivesse mencionado, em nossas conversas, o fato de muitos escritores nacionalistas como Gakaara Wanjaū, Mūgīa e Stanley Kagīka terem sido presos pelo Estado colonial sob as leis do estado de emergência. Os jornais de língua africana tinham sido banidos, e alguns editores, como Henry Muoria, do *Mūmenyereri*, foram forçados a se exilar. Sejam lá quais tenham sido as origens da minha posição, o debate entre mim e Kenneth ficava bem intenso às vezes. Podíamos ter resolvido tudo facilmente expondo o problema para o sr. Kībicho, mas não fizemos isso.

Irritado com minha intransigência, Kenneth disse que iria escrever um livro para provar que não era necessário ter licença para escrever. Ele não me disse sobre o que seria o livro, ou se já tinha começado. Mas ele não poderia ter avançado muito, pois nossa atenção logo foi tomada pelos preparativos para os Exames Africanos Preliminares do Quênia, que decidiriam nosso destino.

29

Os Exames Africanos Preliminares do Quênia eram temidos. Apenas cinco por cento dos estudantes que faziam o exame encontravam vaga nas escolas de ensino médio ou em faculdades de formação de professores. Preparar-se para os exames acabava com os nervos, e mais ainda por estarmos no meio de uma guerra. Perdíamos o sono o tempo todo por causa de interrupções fora de hora, e eu sempre me perguntava sobre meu irmão nas montanhas. A preparação para os exames era um problema. As questões seriam baseadas nos estudos de um ano? Ou de dois anos, três, quatro anos de estudo? Exceto para o inglês, não tínhamos livros-textos. Dependíamos das anotações dos professores, que copiávamos do quadro. Bem poucos estudantes teriam conseguido preservar em um só lugar as anotações de um ano de estudo.

Mas tentei ficar lendo e relendo qualquer anotação que eu tivesse feito. Até isso era uma luta. Às vezes acabava o querosene da lamparina. Eu tinha que ler à luz do fogo. Talos de milho secos produziam chamas claras e imediatas, mas elas também apagavam rápido. Era necessário ficar alimentando o fogo. Era uma corrida para ler o máximo possível até ser preciso ir alimentar o fogo outra vez. Aquilo cansava os olhos, mas eu me acostumei. De dia era melhor. Mas aí a leitura competia com as tarefas, incluindo catar talos de milho para a fogueira da noite.

Os exames eram um evento bastante formal. Frequentemente ocorriam em um local único, e os candidatos das diferentes escolas iam até lá, cada um como podia. Em 1954, o local foi a Escola do Convento de Loreto, em Limuru, a cinco quilômetros de minha casa.

Nós sabíamos que tínhamos sorte, pois havia quem precisasse viajar quase vinte quilômetros para chegar lá, e mal havia transporte.

A missão católica onde ficava a Escola de Loreto tinha sido fundada por missionários italianos em 1906. As vastas terras que a Igreja possuía faziam parte de Tigoni, o centro da disputa que por fim levaria ao massacre de Lari em 1953. Mas embora houvesse um ditado que dizia não haver diferença entre um padre e um colono, a raiva da população era dirigida mais aos assentamentos dos soldados que à missão católica.

Mais ou menos uma semana antes dos exames fui acordado de um sono profundo por minha mãe, que abria a porta de casa. Um grupo de homens entrou. Usavam longos casacos e na cintura tinham cintos de onde pendiam espadas em bainhas de couro. Alguns tinham armas dependuradas nos ombros. Um deles sorria para mim. Eu não podia acreditar em meus olhos. Era meu irmão mais velho, o Bom Wallace, vivo e sorrindo, segurando uma lanterna. Já então sua esposa, junto com o bebê, tinha entrado, vindo de casa. Eu tremia com um misto de medo e alegria. Ele estava vivo e bem. Mas e se os Guardas Nacionais estivessem seguindo eles? Esses homens não demonstravam medo. Conversavam à vontade, embora em voz baixa, e até riam. Eles comeram e tomaram um pouco de chá. Deviam ter sentinelas lá fora, pois havia um entra e sai constante. Então meu irmão se voltou para mim e disse: Não tenha medo. Sei que você logo vai fazer os exames. Vim desejar boa sorte. Como nossa mãe disse, faça o seu melhor. O conhecimento é a nossa luz. E assim, sem mais, eles partiram. Minha mãe insistiu para que eu não comentasse com ninguém o que havia visto. Nem mesmo com meu irmão mais novo, que dormira o tempo inteiro. Pela manhã achei que estava acordando de um sonho estranho.

Fiquei triste por não ter podido perguntar tudo o que queria: sobre o dia em que ele escapara da morte, seu modo de vida nas montanhas, as batalhas que tinham lutado, ou sobre o líder deles, o marechal Dedan Kīmathi. Mas pensar que meu irmão mais velho arriscaria ser preso só para me desejar boa sorte era tocante. Ele era a mesma pessoa que me desencorajava de brincar com as ferramentas de carpinteiro mas cuja face se iluminava sorrindo quando eu estava absorvido lendo um jornal ou um livro. Sua visita arriscada me motivou a me esforçar ainda mais, mas também fez aumentar minha ansiedade.

Minha ansiedade se transformou em puro pânico quando, por volta de uma semana depois, Joseph Kabae, o homem do rei, apareceu em nossa casa. Ele recendia a álcool mas continuava afável. Era o começo da noite. Ele tinha um cinto de onde pendia uma arma no coldre. Segundo disse, ele estava passando por ali e, lembrando-se de que nunca tinha parado para uma visita, pensou em entrar para perguntar como estavam todos. Minha mãe fez uma xícara de chá para ele, mas não houve muitas palavras trocadas entre o filho adotivo e a mãe de criação. Eu tinha certeza de que sabia o que se passava na cabeça de minha mãe: Por que tão perto da visita noturna do Bom Wallace? As perguntas de sempre retornaram: Por que aquele homem, que enfrentara os brancos na Segunda Guerra, não estava nas montanhas ajudando a combater os colonos brancos? Então de súbito ele se virou para mim: Sei que você está perto de fazer os exames. Não precisa ficar com medo. São só palavras num papel; ataque-as com sua caneta. A caneta é a sua arma. Então ele pegou o revólver do coldre e o segurou diante do meu rosto. Ele queria que eu tocasse a arma, talvez para expulsar meu medo, mas não toquei. Os olhos de minha mãe estavam frios, expressando desaprovação, e houve um suspiro coletivo de alívio quando ele partiu. Sua visita, tão próxima à de Wallace, deixou uma nuvem de medo e ansiedade. Ao puxar a arma, estaria Kabae se exibindo ou mandando uma mensagem? Chamava a atenção o fato de ele em momento algum mencionar meu irmão nas montanhas. Interpretei isso da maneira mais positiva: ele era o membro mais educado de nossa família; talvez tivesse realmente vindo para me desejar boa sorte. Os guerrilheiros e o homem do rei tinham vindo para dizer palavras quase idênticas para mim.

A véspera do exame trouxe o tipo de medo e ansiedade que eu tinha sentido na véspera da circuncisão. Era o medo do desconhecido, em que as consequências do fracasso eram conhecidas, mas as do sucesso, não. Agora não haveria nenhum envolvimento da comunidade, só eu e meus cadernos. Havia a caminhada de cinco quilômetros até Loreto, e eu esperava chegar lá a tempo.

Nunca tinha ido à Escola do Convento de Loreto, embora já tivesse visto alguns de seus alunos de passagem. No dia em que estive lá para me converter ao catolicismo, fui impedido pela mãe de Kenneth. E agora, finalmente, eu estava ali, embora para outros fins. O contraste com Kĩnyogori era notável. Os prédios, da igreja às salas de aula, eram cercados por um amplo terreno, com grama bem aparada e sebes podadas. Mais além ficavam as pastagens onde vacas de úberes cheios pastavam serenas. As salas de aula eram unidas por corredores em que dava para se perder, mas algumas das moças estavam ali para nos guiar até as salas certas. E, maravilha das maravilhas: lá havia algo chamado vaso sanitário, onde se dava descarga após o uso e os dejetos sumiam. Em Kĩnyogori e antes, em Manguo, nós usávamos latrinas. As moças nos disseram que também tinha chuveiros. Em tudo o estilo de vida delas era superior ao nosso. Eu não conseguia conceber um ambiente mais intimidante.

Porém, mais deslumbrantes eram os uniformes escolares — vestidos vermelhos, tão coloridos em contraste com nossa roupa cáqui sem graça.

Eu não conseguia tirar os olhos das moças. Todas elas pareciam igualmente bonitas, inteligentes, radiantes, prontas para entrar em um coro celeste de anjos. Algumas freiras de hábito estavam por ali também. Não sei o que intimidava mais, o ambiente escolar como um todo, ou a sala onde nos sentamos nas carteiras, espaçadas de forma a não ser possível lançar o olhar para a prova do colega. O bedel era um pedagogo branco de Nairóbi que, depois das instruções preliminares, sentou-se na frente da classe, se levantando de vez em quando para andar entre as fileiras, certificando-se de que não havia ninguém colando. Os exames duravam quatro dias. O primeiro era o dia do registro, orientação e atribuição de um número para cada aluno. Os outros três dias eram dedicados a uma ou duas disciplinas, incluindo matemática, inglês, suaíli, história, geografia e educação cívica. Fiquei nervoso, quase paralisado, ao olhar para cada exame diante de mim e depois para as moças de vermelho, que pareciam relaxadas, à vontade. Mas quando toquei o papel com a caneta, senti uma espécie de serenidade energizada. Cada dia trazia as mesmas ansiedades e o mesmo esforço para acalmar minhas emoções, e então vinha a serenidade. No exame de inglês tive um encontro inesperado com meu passado recente. Entre as questões havia uma para testar nossa compreensão de leitura. Leia e responda às seguintes perguntas. Era uma passagem de *A ilha do tesouro* de Stevenson. O trecho não continha o título do livro ou o nome do autor. Mas as frases eram inconfundíveis: "Quinze homens em cima do baú do morto/ Iô-ho-ho e uma garrafa de rum!". Para muitos candidatos, que reclamaram depois, aquilo devia ser incompreensível, mas para mim e Kenneth, que entendíamos o contexto, era uma recompensa por nossas leituras extracurriculares.

No quarto e último dia eu estava exausto de corpo e mente. Foi um alívio quando tudo acabou.

Também tinham acabado para mim os anos em Kĩnyogori. A luta por uma escola, da Kamandũra passando pela Karĩng'a de

Manguo até a escola intermediária de Kĩnyogori, que era do governo; os altos e baixos da sorte na casa de minha mãe; os tambores da guerra no país — qualquer um desses eventos podia ter me desviado de meus trilhos da educação. Agora chegava a hora de dizer adeus à escola e à sua história. Infelizmente também era hora de dizer adeus ao sr. Kĩbicho e a sua biblioteca.

30

As semanas de espera pelo resultado dos exames foram das mais longas da minha vida. Já não estávamos sob o guarda-chuva protetor de uma escola. Estávamos sujeitos ao mesmo perpétuo ritmo de tensão que acossava toda a população. De vez em quando minha mãe era chamada ao posto da Guarda Nacional para ser interrogada. Pelo jeito alguém tinha revelado o outro significado de *mbembe*. Mas minha mãe sempre foi consistente no que negava: ela estava cuidando do milharal na hora, e milho era milho. Ela não entendia como milho podia ser outra coisa. Minha mãe tinha um porte inabalável mesmo nas situações mais adversas.

Com a mente livre dos estudos e exames, começo a divagar. Eu temo que uma tragédia desbarate a casa de minha mãe, mas temo principalmente por meu irmão lá no frio das montanhas, e o medo não é menor pela lembrança de sua risada confortante na noite em que ele veio me dizer que me esforçasse. Aquela visita era a cara de Wallace — ele sempre fazia o inesperado, pelo menos aos meus olhos. Houve um tempo em que, através de meus olhos de criança, eu o vira como um acadêmico, porque ele estudava a noite inteira com os pés na bacia de água fria. Mas então ele começou a mexer com madeira, e sempre que eu lia na Bíblia sobre José, o pai de Jesus, um carpinteiro, pensava no Bom Wallace. E agora ele tinha desistido de tudo, sua oficina, o carro de segunda mão que tinha acabado de comprar, a esposa e o filho, pela vida dura de um combatente da liberdade. No fundo, eu jamais vira Wallace como guerreiro. Para mim ele sempre parecia vulnerável, e embora fosse consideravelmente mais velho que eu, sempre sentira um ímpeto protetor em relação a ele.

Havia um homem de idade próxima à de meu irmão que (por causa de suas roupas, gingado, jeito de falar e nome: Mūturi, "Ferreiro", que soava ameaçador) eu sempre achei que poderia bater meu irmão em um confronto. Eu estava na escola Kamandūra na época. Queria avisar meu irmão sobre a má companhia daquele homem, especialmente depois que descobri que eles se conheciam, mas eu não sabia como começar. Abordei o assunto cheio de dedos, perguntando se eles tinham se visto recentemente, como se eu estivesse apenas interessado em saber sobre ele. Mas meu irmão não parecia incomodado com Mūturi, e me pediu que me concentrasse nos estudos e parasse de perguntar sobre o paradeiro dos adultos. Sua indiferença ao perigo que eu via claramente me alarmava ainda mais, e nunca consegui parar de me preocupar, até o dia em que ouvi Kahanya parabenizando meu irmão por ter nocauteado Mūturi em uma briga de rua.

Ansiedades semelhantes agora aparecem com respeito a Kahanya. Ele certamente irá trair meu irmão, e eu não tenho como avisar Wallace da traição do amigo. Mas como podem amigos traírem uns aos outros? Ngandi, que parecia saber de tudo, incluindo o que acontecia nas montanhas; sim, Ngandi que nos contara histórias das explorações de Dedan Kīmathi, Stanley Mathenge e do general China com detalhes como se ele tivesse testemunhado, certamente saberia explicar isso. Talvez ele até soubesse como enviar uma mensagem para as montanhas. Mas ele não vem mais à casa do meu irmão. Talvez devesse procurar por ele, e quem sabe toparia com ele pelas ruas. Mas eu me lembro de que não posso discutir o paradeiro de meu irmão com ninguém. Bom, nunca mais o vejo. Tenho que resolver essas contradições sozinho.

Começo a procurar notícias e informações por conta própria em vez de esperar que cheguem até mim. Não tenho dinheiro para comprar jornal. E começo a catar qualquer pedaço de papel impresso com que topo pela frente. As lojas indianas são a melhor fonte. Os lojistas costumam usar jornais para embalar açúcar ou outros mantimentos para os clientes. Até pelos aterros e monturos eu coleto páginas, algumas rasgadas, mas de vez em quando consigo algumas em série. As notícias não são necessariamente atuais. Eu não tenho escolha de assunto. Tudo o que quero é conectar as coisas como Ngandi costumava fazer, unindo eventos locais, nacionais e mundiais. As histórias que mostravam os Mau Mau como luditas, um grupo antiprogresso, antirreligião, antimodernidade, que se opunha fortemente ao que eu conhecia do meu irmão, confirmado em seu último ato de ousadia, de vir para casa me desejar boa sorte. Outras histórias são na maioria sobre vitórias do governo, enumerando os guerrilheiros Mau Mau mortos, enforcados ou capturados, dos quais o mais proeminente era o general China, no começo do ano.

A única fonte constante de consolo era o fato de o nome do meu irmão jamais ter aparecido entre os mortos. Quero que ele retorne vitorioso, como Kabae tinha retornado da Segunda Guerra. Mas não há notícias impressas das vitórias dos Mau Mau, do tipo que Ngandi costumava contar com detalhes bem convincentes. Nem encontro as notícias sobre o apoio vindo do estrangeiro, que Ngandi dizia vir do Egito, Etiópia, Rússia e de capitais inglesas, incluindo Londres. Os únicos trechos sobre Londres que encontro abordam a visita de alguns parlamentares e a troca de cargos entre os secretários coloniais Oliver Lyttelton e Alan Lennox-Boyd. Mas Churchill ainda está no poder, e ele envia mais batalhões de ingleses enquanto chama de volta outros. Outras notícias me colocam diante do passado da Operação Anvil, o esquema diabólico do general Erskine de desalojar milhares de Gĩkũyũ, Embu e Meru de Nairóbi, assim como o Estado colonial tinha feito com as populações no Vale Rift. Limuru, sendo perto de Nairóbi, sente os efeitos da Operação Anvil ao longo do ano, assim como sentira os efeitos de outros tumultos na capital. Ganho algum alento ao topar com notícias da derrota das forças francesas na Indochina por um certo general Giap, em Dien Ben Phu, mais ou menos na mesma época em que a Operação Anvil estava em andamento, e espero que Kĩmathi obtenha o mesmo tipo de vitória contra os ingleses. Então meu irmão voltaria para casa. Em outra folha descubro que Einsenhower, por causa de algo chamado "Brown contra o Comitê de Educação", ordenou o fim da segregação nas escolas da América. Isso não faz sentido para mim, pois nunca vi nem sonhei com a possibilidade de uma escola em que alunos africanos, asiáticos e europeus coexistissem. Em Limuru, a escola asiática é cercada de pedras, um espaço fechado atrás das lojas. A escola é parte do centro comercial. Eu nunca vi um garoto indiano correndo dez quilômetros descalço para ir à escola. Quanto às escolas europeias, elas são invisíveis. Nunca vi nenhuma.

Juntar um pedaço a outro para criar uma história coerente da maneira que Ngandi fazia é difícil: é como montar um quebra-cabeça com algumas peças faltando. Pode ter sido assim também para Ngandi, mas ele supria as peças faltantes com sua imaginação fértil. Eu me conforto dizendo que está tudo bem se eu não chegar ao nível de um mestre narrador, porque eu não preciso contar minhas histórias para ouvintes ansiosos para comer na minha mão. Mas mesmo assim testo meu conhecimento e habilidades narrativas em Kenneth. Mas Kenneth não aceita qualquer coisa: ele duvida de tudo que sai de minha boca, expondo sérias lacunas na minha exposição dos eventos no Quênia e no exterior. Mas tentar compreender o que se passa ao meu redor, independente dos outros, e então defender a veracidade do que eu descobria tão bem quanto pudesse, contra o ceticismo de Kenneth, me faz me sentir mais homem, mais decidido, mais eu.

Foi por aquela época que a morte dançou ao meu redor. Logo depois que reatei a amizade com Ndung'u, meu outro irmão de iniciação. Ele abandonara a escola e não sofrera com a ansiedade de esperar o resultado dos exames. Mas embora tivesse abandonado os estudos, Ndung'u tinha uma mente bem alerta, uma inteligência ativa que, anos depois, já com a independência, o levou a se tornar um dos homens de negócio mais bem-sucedidos de Limuru, um dono de terras e conselheiro da cidade. Mas, em nossa época, as pessoas balançavam a cabeça de preocupação ao pensar em seu futuro.

Ser um homem significava que eu era um adulto capaz de tomar decisões por conta própria. Podia dormir fora de casa sem avisar meus pais. Mas minha mãe não conseguia largar suas preocupações maternas quanto ao meu bem-estar, e ficava de olho em minhas companhias. Ela era mãe separada e não queria lidar com conflitos infindáveis com os vizinhos. Era da opinião de que a maneira mais eficiente de evitar esses conflitos era ficarmos sozinhos, ou escolher os amigos com cuidado. Minha mãe não objetava nada à minha amizade com Ndung'u, pois ele também era parente, mas ela sabia de todos os meus movimentos.

Antes da execução de Kĩmũchũ, ele tinha construído uma casa de paredes de pedra em formato de "L", com um teto de aço corrugado. A casa ficava vazia a maior parte do tempo porque a mãe adotiva de Ndung'u geralmente dormia na loja, no mercado de Limuru. Ndung'u ocupava o quarto na perna mais curta do "L", e eu passava algumas noites ali também. Ele era uma boa companhia para mim, e certamente não era matuto, especialmente no que dizia respeito às moças.

Aquele era um mês bem frio. Nós nunca abríamos as janelas e usávamos um fogareiro a carvão para aquecer a sala. Mas, numa noite particularmente fria, continuamos a acrescentar carvão, e quando nos deitamos na cama, não levamos o fogareiro para fora nem abrimos as janelas. Aos poucos peguei num sono profundo.

Em algum momento do amanhecer Ndung'u ouviu batidas fracas na porta e nas janelas. Ele reuniu forças e de alguma forma conseguiu rastejar pelo chão e abrir a porta antes de desabar como alguém drogado perto de mim, que jazia inconsciente ali perto. Mas o ar fresco deve ter tido algum efeito, porque quando abri meus olhos, minha mãe estava parada na porta. Até hoje não sei como abandonamos as camas, indo parar no chão. Ndung'u e eu fomos salvos da asfixia no último momento.

Minha mãe estava bem quieta enquanto eu a seguia até em casa. Mais tarde ela explicou que se sentiu inquieta ao ver que já era manhã e eu não havia voltado para casa. Temendo que eu tivesse sido preso pela Guarda Nacional, ela foi até a casa de Ndung'u para assuntar. E ficou petrificada ao me ver no chão perto de um fogareiro a carvão ainda aceso.

Compreendi a força do choque que ela levara ao me ver lá quando soube, mais tarde, que a primeira filha dela tinha caído em uma fogueira e morrido de queimaduras graves. Aquilo explicava porque ela sempre reagia com exagero toda vez que surpreendia meu irmão e eu, ainda crianças, brincando perto do fogo, ou segurando um graveto em chamas.

Os instintos da minha mãe sempre me impressionaram. Eu me lembrei de uma outra vez quando ela foi até o King George VI Hospital no momento em que eu mais precisava dela. E agora ela tinha nos salvado de envenenamento por monóxido de carbono. Depois disso ela nunca mais quis saber de eu dormir em uma casa com paredes de pedra.

Kenneth, meu outro irmão de iniciação, e eu nos encontrávamos com frequência para falar sobre o mundo, mas geralmente para compararmos nosso desempenho e ficar imaginando os resultados dos exames, comiserando-nos mutuamente de vez em quando. Mas depois de dias assim, decidimos que era melhor esquecer os exames. E desse modo recomeçamos nossas discussões interrompidas sobre escrita e sobre ser mandado para a prisão por causa dela, ambos ainda nos atendo firmemente às nossas posições. Ele ficava me lembrando que ainda iria escrever o livro que provaria que eu estava errado. Mas Kenneth não me dizia se já havia começado ou quando iria começar. Assim, as discussões continuaram: sobre livros, sobre o país, sobre o mundo. Nunca concordávamos com nada, e ainda assim continuávamos nos encontrando e discutindo.

Aos domingos ele e eu íamos à igreja em Kamandūra. Ele carregava uma pequena Bíblia em inglês que nós compartilhávamos. O pastor lia a Bíblia em língua Gĩkũyũ e nós o seguíamos em inglês. Entendíamos Gĩkũyũ perfeitamente, também sabíamos ler Gĩkũyũ com fluência, mas de alguma forma parecia mais natural para nós procedermos daquela forma.

Em um domingo de dezembro de 1954, em vez de ir para casa depois da missa em Kamandūra, decidimos ir até um culto vespertino ao ar livre em Ndeiya, a cerca de nove quilômetros de casa. Cultos ao ar livre, que aconteciam depois dos serviços mais formais na igreja, estavam se tornando prática comum aos domingos. Os eventos não se identificavam com nenhuma denominação em particular. A relação pessoal com Deus era enfatizada, e não as denominações das Igrejas. Esses cultos eram como encontros à antiga em que até os leigos podiam se levantar e contribuir com sermões e preces.

Essas celebrações coincidiram com um movimento de reavivamento fundamentalista que tinha tomado o país pouco antes de o estado de emergência ser declarado. Agora esse movimento parecia se intensificar quase como alternativa ao Estado colonial e aos Mau Mau. O refrão de muitos dos aderentes era "Jesus é meu Salvador pessoal". Os jovens eram arrebatados por aquilo, e eu me lembro como as moças, depois de serem salvas, se desfaziam de seus adornos mundanos, como colares de contas e brincos. Para as que vinham de famílias mais afluentes e se viam como modernas, ser salva lhes dava a liberdade de andar na companhia dos outros, inclusive homens, pois Jesus não lhes deixaria cair nas tentações do mundo. Eu não sei por que eles cantavam *Tukutendereza Yesu, Yesu we Mlokozi* (nós louvamos Jesus, Jesus o Salvador) na língua luganda, mas talvez fosse porque aquela onda particular de fundamentalismo tivera suas origens em Uganda e Ruanda. Preocupações e restrições quanto a esses cultos reapareceram quando casos de gravidez indesejada se tornaram um pouco mais frequentes, e as velhas táticas de culpar o diabo ou se confessar já não serviam para tranquilizar os pais.

Esses cultos de domingo ao ar livre também eram populares porque tratava-se de uma das poucas reuniões públicas que não precisavam de licença do Estado. Na verdade, deviam contar com o apoio do Estado, pois falavam de Jesus, não de Kenyatta, e da libertação espiritual do mal, não da libertação política dos males coloniais.

Era um dia ensolarado e o culto estava bom, as canções eram boas. Alguns pastores tinham uma maneira de interpretar certos versículos da Bíblia que colocavam em perspectiva tudo o que acontecia ao nosso redor. Os sinais da guerra e os conflitos, a fome e os falsos profetas tinham sido profetizados na Bíblia, precedendo a Segunda Vinda de Cristo. Alguns dos sermões e canções deixavam minha alma leve, me libertando das ansiedades que eu carregava.

Era pelo meio da tarde quando começamos nossa jornada de volta, mas em vez de fazermos o mesmo caminho, decidimos pegar um atalho pela floresta de Ngũirũbi. Não sei se estávamos discutindo o culto ou falando sobre escrita, ou sobre minhas histórias coletadas em pedaços de jornal. Independente do que fosse, subitamente ouvimos a ordem de parar.

À nossa frente estava um militar branco usando roupa camuflada, apontando uma arma para nós. Ele fez um gesto para que puséssemos as mãos atrás da cabeça e caminhássemos lentamente para onde os outros estavam reunidos. Foi então que vimos pessoas mais adiante, acocoradas com as mãos atrás da cabeça. O oficial não estava sozinho. Dos dois lados da floresta detectei os muitos olhos do resto da tropa. Outros vigiavam o grupo no chão com armas e um pastor-alemão. Ao nos sentarmos, vimos que muitos dos que ali estavam vinham do culto, como nós. Um veículo militar verde e outro menor, um jipe, estavam estacionados perto da floresta, a alguns metros do grupo. Kenneth e eu tínhamos sido pegos em uma enorme batida em massa.

As pessoas interrogadas eram divididas em três grupos: os ruins, os maus e os piores. O grupo dos piores era vigiado pelo oficial branco e gordo com o pastor-alemão, que parecia ameaçador, ofegando como se sedento por sangue. Mesmo de longe o animal me fez reviver o terror que eu experimentara com o cão de Kahahu. Quando chegou a vez de Kenneth, ele foi colocado entre os ruins. Como um homem branco podia olhar no rosto de uma pessoa e decidir a que grupo ela pertencia? Descobri a resposta quando chegou a minha vez. Perto do jipe havia uma tenda onde um homem estava sentado, coberto dos pés à cabeça por um lençol branco com dois rasgos na altura dos olhos. Era o temido *gakūnia*, o homem do capuz. Ter um par de olhos sem rosto encarando a gente atrás de um pano era sinistro. Achei que, quando terminassem comigo, eles me colocariam no grupo de Kenneth, pois tanto ele quanto eu estávamos com uniforme escolar.

Mas, para minha surpresa, fui colocado na segunda categoria, os maus, que teriam que responder a mais perguntas. Na segunda rodada, os suspeitos eram colocados no grupo dos ruins ou dos piores, e estes últimos eram levados para campos de concentração. Fiquei calmo o quanto pude, mas por dentro tremia de medo. Eu sabia a bagagem que trazia comigo. O que eu faria se me perguntassem sobre meu irmão Wallace Mwangi? Sua última e única visita ainda estava vívida em minha mente. Alguém teria visto ele nos visitando? E, pelo que eu sabia, minha mãe e a esposa do meu irmão não tinham sido interrogadas sobre a visita.

Fiquei em frente ao oficial branco perto do homem de capuz. Ele perguntou se eu entendia inglês e eu disse que sim, esperando que ele aprovasse isso.

— Onde você estava?

— Num culto cristão ao ar livre.

— Trate-me por "effendi" — ele gritou.

— Effendi.

— Onde você estuda?

— Escola Intermediária Kĩnyogori. Comitê de Educação do Distrito. Fiz os exames KAPE e estou esperando os resultados.

— Você tem irmãos?

— Sim.

— Trate-me por "effendi".

— Sim, effendi.

— Quantos?

— Meu pai tem quatro esposas. Eu tenho uns dez...

— Trate-me por "effendi".

— Dez, effendi.

— Todos os seus irmãos estão em casa no momento? O que eles fazem?

— Dois trabalham para o governo — eu disse, pensando em Joseph Kabae e Tumbo, e ignorando a primeira questão. — Um deles, Joseph Kabae, foi dos Fuzileiros Africanos do Rei, um soldado que lutou pelo rei George durante a Segunda Guerra — acrescentei, para impressioná-lo com nossos vínculos ingleses.

Mas eu esqueci de dizer "effendi". Senti o golpe no rosto sem vê-lo. Vacilei com o impacto, mas fiquei de pé.

— Diga "effendi"!

— Sim, effendi! — eu disse, com lágrimas começando a brotar dos olhos. Eu agora era um homem; não devia chorar. Mas um homem devia reagir, se defender e aos seus, e eu não conseguia nem esboçar um gesto de autodefesa.

Ele interpretou minha recusa em chorar ou gritar como um desafio, e começou a me bater mais. Caí. Não sabia se devia me levantar ou permanecer no chão, e isso pareceu aumentar ainda mais sua fúria.

— *Simama*, levante-se.

Eu me levantei, tremendo de terror, sobretudo quando vi o oficial com o cão vindo em nossa direção, como se agora fosse a sua vez de tratar comigo. Ele disse algo ao meu algoz e então voltou para seu grupo. Aquilo podia ter a ver com qualquer coisa além de mim, mas eu continuei amedrontado.

Meu algoz falou com o homem de capuz por algum tempo. Então voltou até mim.

— Você tem algum irmão que não está em casa?

Frio no estômago. Devo mentir? Decidi enrolar para ganhar tempo.

— Desculpa, effendi! O que o senhor disse?

— Algum irmão seu que não está em casa?

Não fazia sentido enrolar mais ou mentir. Eu ia contar uma mentira verdadeira e me agarrar a ela.

— Tenho um irmão que não está em casa, effendi.

— O nome?

— Wallace Mwangi.

— Effendi!

— Effendi!

— Onde está ele?

Eu me lembrei da recomendação de minha mãe.

— Não sei, effendi. Acho que ele fugiu.

— Para onde?

— Eu estava na escola quando ele fugiu, e ninguém sabe onde ele está.

— Ele vai visitar vocês?

— Não, effendi — eu disse, sem hesitar. Quase acrescentei que tínhamos medo de que o governo o matasse, mas me contive.

O oficial falou outra vez com o homem encapuzado. Ao que parecia, ter admitido conhecimento do pouco que era publicamente conhecido a respeito de meu irmão tinha me salvado. Quando retornou, ele fez um gesto para que eu me unisse ao grupo dos ruins, que logo puderam partir.

Fiquei abalado com a experiência, mas senti um pouco de orgulho por não ter chorado. Kenneth e eu caminhamos em silêncio, sem ousar olhar para trás. Mesmo quando ouvimos tiros e gritos atrás de nós, não olhamos. Nunca soube o que aconteceu com os que ficaram para trás. Só podíamos tentar adivinhar, mas mantivemos nossas conclusões para nós mesmos.

Mas estava claro que o homem encapuzado era um residente de Limuru, provavelmente um vizinho das pessoas que ele estava enviando aos campos de concentração, ou para morrer. Embora abalado, senti alívio por não ter sido forçado a dizer mais nada.

Kenneth e eu não tínhamos muito a dizer sobre o que tinha acabado de acontecer, nem sobre nada. Cenas assim eram comuns, com pouca variação de detalhes, mas aquela foi a primeira vez que estávamos entre as vítimas. Tínhamos sido tratados de forma diferente, e aquilo contribuía para o nosso silêncio. Perdidos em pensamentos, não percebemos que nossas casas estavam logo ali, atrás da última colina. Nós dois precisávamos de mais tempo para processar o que havia acontecido.

Ainda era o começo da tarde, e decidimos desviar até Manguo, para ver se o sr. Kĩbicho, o diretor, podia nos emprestar alguns livros, embora não estudássemos mais em sua escola. As casas do corpo docente ainda não tinham sido construídas em Kĩnyogori, e por isso os professores ficavam em suas antigas casas em Manguo. Embora tivéssemos empregado a desculpa dos livros, no fundo queríamos mesmo era saber se o sr. Kĩbicho poderia nos contar alguma coisa, qualquer coisa, sobre nossos exames. Ele não estava em casa. Tínhamos esquecido que, durante as férias, ele geralmente ia para seu lar em Nyeri.

Desapontados, tomamos o caminho que passava pela casa do diretor interino, Stephen Thiro, que deve ter nos visto pela janela, pois ele veio até a porta e nos chamou, convidando-nos para entrar. Depois daquele sufoco, foi bom poder tomar uma xícara de chá na casa de nosso professor.

— Kenneth — começou ele, sorrindo —, você passou nos exames.

Foi súbito, inesperado. E quanto a mim? Mas ele nem olhava para mim.

— Mas nós não sabemos ainda qual escola aceitou você — continuou ele, ainda com os olhos em Kenneth.

Não sei se Kenneth estava feliz ou não. Mas meus músculos da barriga estavam tensos. Eu tinha sido reprovado?

— E você foi aceito na Escola de Ensino Médio Aliança — disse ele, olhando para mim e sorrindo francamente. — A Escola de Ensino Médio Aliança anuncia as admissões mais cedo que as outras.

31

Não sei como aceitar este dia cheio de altos e baixos extremos. As notícias não parecem registrar. Não sei como posso me regozijar com elas. Mesmo quando chego em casa e digo que passei nos exames KAPE e fui aceito na Escola de Ensino Médio Aliança, minha mãe só faz uma pergunta: É a melhor? E eu não consigo dizer o que realmente quero dizer: que é bem mais, bem mais do que eu esperava. De fato, essa escola não fora opção minha; o sr. Kĩbicho deve tê-la inserido entre minhas escolhas no formulário. Os outros — a esposa de meu irmão, minhas irmãs e meu irmão mais novo — estão ouvindo falar dessa escola pela primeira vez. Mas estão felizes por eu ter passado, e por eu estar indo para o ensino médio. A notícia se espalha na região. Sou o único em toda Limuru a ser aprovado para a Escola de Ensino Médio Aliança aquele ano. Mas aos poucos, bem lentamente, faço as pazes com meu destino, sobretudo depois que o reverendo Stanley Kahahu vem até minha mãe cumprimentá-la por minha proeza. Finalmente consigo registrar o que se passou quando vou visitar o sr. Kĩbicho e ele me dá os parabéns dizendo que estou indo para a melhor escola de ensino médio do país, que eles só aceitam os melhores, antes de me entregar o pacote com as informações sobre os custos, o vestuário e outros itens.

E então, a realidade brutal. Minha mãe não tem como pagar os custos, e todos sabem disso. O irmão que poderia ajudar está escondido nas montanhas! Logo começam os boatos de que os ricos e legalistas certamente fariam uma petição ao governo para impedir que o irmão de um guerrilheiro Mau Mau vá para uma escola tão prestigiada. Não sei como interpretar os boatos, que apenas aumentam minhas incertezas. Por quê, por que as pessoas se juntariam contra mim, quando eu tinha me esforçado tanto para chegar até ali? Eu me lembro de todos os dias e noites em que tinha lido tudo, feito meu dever de casa à luz fraca do fogo, as noites em que não podia ler porque não tínhamos lenha ou querosene.

A ajuda vem inesperadamente, de alguém que eu jamais teria imaginado: Njairũ, um líder designado pelo governo com reputação de ser um capataz linha-dura, um chefe dedicado ao trabalho comunal e às *barazas*, o líder conhecido do odiado esquadrão da Guarda Nacional que mataria meu irmão à primeira vista se pudesse. Ele acaba com os boatos. Nenhuma força vai me impedir de ir para a Escola de Ensino Médio Aliança. Ele fala pessoalmente com meus meio-irmãos para fazê-los entender a importância do que eu conquistei. Alguns contribuem de livre e espontânea vontade. Njairũ se impõe sobre os poucos que ficam relutantes.

As doações pingam daqui e dali, e por fim consigo juntar o suficiente para o pagamento inicial, mas não para o ano letivo inteiro. Por enquanto isso serve; vamos cuidar dos problemas quando eles aparecerem. Eu tenho um conjunto novo de roupas e um caixote de madeira. Tenho tudo de que preciso. Bom, quase tudo. Um par de sapatos e meias longas constam nos requisitos, e eu não tenho dinheiro para isso. É possível pedir doações para coisas grandes como os estudos, pois a educação sempre foi vista como um ideal pessoal e comunal. Mas dinheiro para sapatos e meias?

Nunca possuí ou usei um par de sapatos na vida, exceto uma vez em que experimentei as calças e o sapato do meu irmão mais velho, tudo maior que o meu tamanho, e ele me pegou desfilando no quintal, seguido por meu irmão mais novo chorando e pedindo a vez. Mas depois que fui repreendido com aspereza, meu irmão mais novo riu de mim. Fora esse dia, eu tinha andado descalço a vida inteira. A expectativa de usar sapatos pela primeira vez era tão intensa quanto aquela outra vez, há muito tempo, quando minha mãe comprou minha primeira camisa e as bermudas para a escola primária em Kamandūra. Um par de sapatos agora se interpõe entre mim e a escola de ensino médio.

Minha irmã Njoki aparece para ajudar. Njoki é a mais quieta na casa de minha mãe. Ela fica muito tempo só remoendo. A vida não a tratou bem. Ela uma vez se apaixonou por um motorista de trator de Ngeca. Ele fazia parte da força de trabalho na construção do túnel de Limuru, que passava sob as terras de um certo sr. Buxton, um dos soldados que se assentaram na área depois da Primeira Guerra. Antes do túnel, o trem demorava muito para dobrar a colina. A escavação do túnel depois da Segunda Guerra criara toda sorte de rumores — que os brancos estavam interferindo com a ordem da natureza, que eles estavam planejando algo sinistro contra os africanos. Se não fosse o caso, por que fazer tudo de forma tão secreta? Ainda assim, os que trabalhavam no projeto tinham certo prestígio, especialmente os motoristas. Minha irmã ficou feliz quando seu amado motorista de trator visitou nossa casa e falou sobre a dinamite usada para quebrar as pedras. Ele falava dos perigos que enfrentava dia a dia, e até dizia que pessoas haviam morrido por causa das pedras e da dinamite. O perigo do trabalho e a bravura que ele demonstrava encantavam Njoki ainda mais. Ela era muito mais vivaz na época: costumava dançar e cantar. Mas seu amor não foi aprovado por meu irmão Wallace. Ele e seus amigos a dissuadiram do casamento que ela escolhera. Em vez disso, Njoki se casou com um pretendente com mais dinheiro, que era dono de um caminhão e tinha um contrato para fornecer brita para os reparos nas estradas. O casamento foi ficando amargo e acabou em divórcio. Ela perdera seu primeiro amor, o motorista de trator, nesse processo. As notícias da morte dele, esmagado sob rochas no túnel, junto com o casamento dela, que fracassara, roubaram sua alegria de viver. O sorriso a abandonou. Ela ganhava dinheiro, não muito, trabalhando nas plantações de chá do outro lado da ferrovia, ou nos campos de crisântemos de Kahahu.

Agora ela dá tudo o que tem para me ajudar a comprar o par de sapatos e meias. Eu fico tocado com isso. Em vez de agradecer, digo a ela que sinto muito por tê-la perseguido pelo campo de crisântemos com um camaleão na ponta de um graveto. Como muitos outros ali, ela tem um medo mortal de camaleões. Eu sempre me sentira culpado pelo incidente, mas ela obviamente esqueceu tudo sobre aquilo, e leva alguns segundos até entender do que eu falo. E então ela começa a rir. Uma gargalhada plena e alta. É tão maravilhoso vê-la sorrir, ver a tristeza sumir de seu rosto, ver o quão bonita ela é realmente, e sempre que uso sapatos me lembro daquele sorriso e da gargalhada.

Coloco minhas coisas na caixa de madeira. A Escola de Ensino Médio Aliança é um internato. Só voltarei para casa nos feriados. Estou pronto para ir. Eu queria poder dizer adeus a Wallace Mwangi, meu irmão lá no frio das montanhas, mas ele sem dúvida saberá das notícias assim como soube dos meus exames em Loreto.

Há mais gente que eu preciso ver antes de ir. Meu avô. Não importa o que aconteceu entre nós, ele ainda é o único avô que tenho, e eu fui batizado com o nome dele. A filha dele é minha mãe, mas também é minha filha simbólica. É à tarde, e ele está sentado numa poltrona na varanda de casa. Ele pede a Mũkami que me traga uma cadeira. Ela o faz, e depois me dá um copo de leite quente. Eu conto a ele a novidade, mas sei que ele já sabe, pois sou o assunto da região há semanas. Sinto como se minha visita também aliviasse um peso que ele trouxesse dentro de si.

Mas você vai nos visitar nos feriados, diz ele. E então, sem poder esconder o sentimento, ele sorri, e grita para a esposa: Eu sabia que ele podia ler. Ele escrevia o que ia em minha mente direitinho.

Ele vestia meus pensamentos. Vá em paz. Continue segurando a caneta firme. Ele faz que cospe no peito, um gesto que simboliza chuva de bênçãos. Então diz a Mūkami que traga "o pacote", que é sua carteira, na verdade. Ele me dá um dinheirinho para comprar alguma coisa no caminho para a nova escola. Eu me sinto bem. Ele outrora confiara em mim e em minhas habilidades o bastante para me tornar seu escriba e pássaro de bom augúrio.

A outra pessoa? Meu pai! Embora eu não tenha admitido isso a mim mesmo, sou assombrado por uma sensação de alienação, e ainda carrego comigo a imagem feia de nosso último encontro. Eu tenho que vê-lo: não sei que palavras serão ditas, mas um pensamento fugaz se tornou de repente um desejo irresistível. Quando piso em seu quintal, o mesmo que foi meu campo de brincadeiras na primeira parte de minha infância, sinto meu coração dar um salto. Estou retornando ao antigo lar pela primeira vez desde minha expulsão. A antiga cabana de minha mãe ainda está de pé, mas agora plantas verdes brotam no teto e ao redor das paredes, anunciando o abandono em voz alta. Minha mente voa para o início, para as brincadeiras da minha infância. É um dia ensolarado, mas por algum motivo o que me vem à mente é a canção que costumávamos cantar para receber a chuva. Ao primeiro som abafado de pingos de chuva nos tetos de palha, corríamos para o quintal.

> *Caia, chuva, estou pedindo*
> *Eu vou te oferecer um touro*
> *Com um sino no pescoço*
> *Que faz dim-dom dim-dom*

Imagens e mais imagens do passado. Lágrimas e risos. Todos os irmãos que estão em casa me dão as boas-vindas e me cercam. Primeiro entro na cabana de Wangari, a casa da primeira esposa, e antes que eu diga uma palavra, Wabia, minha meia-irmã cega, diz:

É Ngũgĩ? Sim, sou eu, respondo, com um sorriso que ela não pode ver, mas que é franco. Aqui nesta cabana se deram as cenas das performances noturnas, as histórias, charadas e provérbios, a discussão dos assuntos nacionais e mundiais. Wangari pede desculpas por não ter nada para eu comer, mas ela pode fazer um mingau como o que fazia para mim antigamente. Não, não, não precisa. Eu me despeço dela e de Wabia. Então vou até a casa da segunda esposa, minha segunda mãe, Gacoki. Ela não é de muitas palavras, ainda é muito tímida, mas se atreve a perguntar: Essa Aliança é em outro país? É só um modo de falar. Ela só está feliz por eu ter ido visitá-la. Por último eu vou à casa de Njeri. Ela continua a mesma, ossos fortes, falante, me repreendendo por não ter avisado que iria aparecer, pois agora ela não tinha nada para me oferecer. Mas ela oferece ovos que eu posso levar para a escola. Eu recuso, lembrando dos dias de Bono Mayai.

Finalmente chego até meu pai. Ele está sentado em um banco na cabana de Njeri. Ele não tem nada a dizer além de: Você fez muito bem e tem minha bênção. Sei que ele vem recebendo os cumprimentos de muitos anciãos pela conquista do filho, mas o embaraço impede que ele diga mais. Sei que ele não tem nada de material para me dar, e ele nem faz um gesto nesse sentido. Ele não tem nada mesmo. Mas não estou aqui pelos presentes ou pelo dinheiro dele. Eu quero me dar um presente. Não quero começar uma nova vida com ressentimento no coração. Minha visita é minha maneira de dizer a ele que mesmo que ele não tenha pedido perdão, eu o perdoo mesmo assim. Assim como minha mãe, acredito que a raiva e o ódio corroem o coração. Eu quero que minhas ações falem por mim, que ações positivas sejam minha única forma de vingança. Quase nada é dito. Mas quando estou prestes a sair, ele se levanta e caminha alguns passos comigo. Então faz algo que eu nunca o vi fazer: ele me conduz monturo acima, me dizendo para tomar cuidado com as plantas urticantes que chamamos de *thabai*. Nós ficamos lá em cima olhando para a encosta que eu conhecia tão bem, onde frequentemente vira minhas mães e irmãos e irmãs indo trabalhar nas plantações de chá dos brancos, espalhando-se pela paisagem. Era possível ouvir dali de cima a sirene da fábrica de calçados Bata de Limuru, construída em 1938. E por todos aqueles anos *king'ora*, a sirene, se tornara a marcadora do tempo, ditando a passagem do dia para todos nós: a sirene matutina anunciava o raiar do dia, a do meio-dia anunciava o almoço, e a última anunciava o cair da noite. Nós nos referíamos às coisas como antes e depois das sirenes. Esta era a mesma colina de onde minha mãe dizia ter visto fantasmas de indianos segurando luzes nas mãos e caminhando no escuro. Sim, muitas lembranças, de ser picado por urtigas, de esconder nossos cães nos arbustos perto do monturo e então ver minha mãe levando-os de volta para as lojas dos indianos. Até meu pai se absorve em seus próprios pensamentos, como se vistoriasse as terras que outrora lhe pertenceram e a distância que ele percorreu desde que fugira de Mūrang'a. Ou sua jornada no tempo, do seu nascimento, quando o Quênia ainda não era o Quênia, antes de haver Nairóbi, Limuru ou qualquer outra cidade além da costa. Sua jornada pela Primeira e Segunda Guerras, e agora o conflito Mau Mau com seus filhos lutando dos dois lados. Eu queria poder dizer a ele: No que o senhor está pensando, pai?, mas não digo nada. Ele interrompe o silêncio, mas não para falar sobre o passado. Finalmente ele diz: Você fez muito bem. A estrada à frente é longa. Haverá buracos e calombos. Você vai cair às vezes. Mas você tem que levantar e continuar. Seu tom de voz é factual. Mas tenho a impressão de que ele está dizendo aquilo para si mesmo também. E em meu coração eu digo obrigado. Eu estou livre. Não sou mais prisioneiro do ressentimento.

32

Tudo está pronto. Eu fui ver meu amigo Kenneth. Ele foi aceito na Escola Preparatória de Professores de Kambũi. Assim como Mũrage Chege, Mũturi Ndiba e Kamĩri Ndotono, todos meus colegas de classe. Kambũi é a terra natal de Harry Thuku, e já foi a sede da Sociedade Missionária do Evangelho antes de a sociedade se fundir com a Igreja Missionária Escocesa para formar a Igreja Presbiteriana em 1946. Kenneth está desapontado por não ter sido aceito em uma escola de ensino médio, mas ele não se esquece de mencionar nossas discussões sobre escrita e prisão. Ele diz que ainda vai escrever o tal livro, só para provar que eu estou errado na história da licença para escrever.

Minha mãe diz que não virá até o trem. Vá em paz, sempre dê o seu melhor e você vai ficar bem. Eu descubro que Liz Nyambura, veterana na Escola de Ensino Médio de Moças Aliança, a moça que era um prodígio de matemática nos meus primeiros dias em Kamandũra, e Kenneth Wanjai wa Jeremiah, já no segundo ano da Escola de Ensino Médio Aliança, estão retornando a Kikuyu no mesmo dia. Eu me junto a eles na plataforma do trem. Minhas irmãs, a esposa do meu irmão e meu irmão mais novo me acompanham até a estação.

A plataforma está lotada, mas não tão lotada quanto deveria ficar na época em que a plataforma da estação de Limuru era um centro social. Eu me lembro dos dias em que meus irmãos e irmãs desciam a encosta da casa de nosso pai para ver passar o trem do meio-dia para Kampala ou Kisumu. Ah, como eu os invejava, ansiando pelo dia em que me tornaria adulto para correr com outros rapazes e moças até a estação de trem! E agora eu estou ali, não para ver o trem, mas para embarcar nele.

Todas as pessoas presentes presumem que eu estou empolgado por causa da escola; só meu irmão mais novo sabe o que estou sentindo realmente. Pela primeira vez na vida vou entrar em um trem de passageiros. Eu me lembro de quando não pude embarcar em um trem para Elburgon. Eu me lembro de como meu irmão, que embarcou na época, depois passou a insinuar as maravilhas da viagem de trem, como forma de mostrar que tinha levado vantagem sobre mim. Mas ele não sabe que eu também tinha inveja de John e Joan, os colegiais fictícios que viviam em Oxford mas iam para a escola em Reading de trem. Agora chegou a minha vez. Agora farei a mesma coisa. Um trem para a escola. Um internato. Escola de Ensino Médio Aliança, Kikuyu. Fica a vinte quilômetros de distância, mas é como se eu estivesse embarcando em um trem para o paraíso. Este trem é ainda mais especial. Ele carregará meus sonhos em tempos de guerra.

Finalmente o trem chega. Nós andamos em direção aos vagões que não estão marcados como apenas para europeus ou asiáticos. A terceira classe não tem importância suficiente nem para ostentar uma placa "Apenas para africanos". Wanjai e Liz e os outros entram e exibem um pedaço de papel para um oficial europeu da ferrovia. Chegou a minha vez. O oficial me detém. Passe? Que passe? Ele exige ver um passe que permita eu me mudar de Limuru para Kikuyu, que fica a apenas vinte quilômetros de distância. É uma nova lei do estado de emergência. Nenhum membro das comunidades Gĩkũyũ, Embu e Meru pode embarcar no trem sem um passe emitido pelo governo. Mas nada assim foi mencionado em nenhum dos documentos que eu recebi da escola. As intervenções de Wanjai e Liz Nyambura não adiantam nada. A única coisa que Wanjai pode fazer é garantir que ele vai contar à escola sobre esse engano. Mas suas palavras não me tocam; elas não podem curar a ferida em meu coração. Então já uma comoção me cerca, muitas pessoas com muitas opiniões.

Eu fico ali na plataforma com minha bagagem e observo o trem se afastar com meus sonhos mas sem mim, com meu futuro, mas sem mim, até que ele desaparece. Derramo lágrimas. Eu não quero, eu sou um homem, não é para chorar, mas não posso evitar. O oficial militar branco que me derrubara a socos não conseguiu me fazer chorar, mas este oficial branco, um funcionário de ferrovia, que me negou o embarque em seu trem, conseguiu. Os que poderiam se apiedar de mim precisam eles mesmos de alguma piedade. Não sei como minha mãe vai receber a notícia, pois o meu sonho era o dela também.

E então, do nada, um africano, diretor de estação assistente, chega à cena. Alguém deve ter ido falar com ele. Seu nome é Chris Kahara. Anos mais tarde, depois da independência, ele se tornará prefeito da cidade de Nairóbi. Mas agora ele é simplesmente um diretor assistente de estação no uniforme branco oficial, uma jaqueta branca de safári com calças brancas. Ele me diz para não chorar; ele fará tudo o que puder para que eu chegue a Kikuyu. Eu só vou perder o ônibus para a escola, só isso. Mas eu podia correr pelos charcos de Ondiri até os meus sonhos. Antes que ele termine de falar, um trem que serve chega à estação. Não é o trem de passageiros bonito que eu esperava, mas sigo o diretor assistente até o último vagão. Ele termina os arranjos. Eu entro no vagão. Estou cercado por ferramentas e roupas de trabalhadores. Posso sentir o cheiro de suor deles, mas não importa. O vagão não tem janelas, por isso não vejo a paisagem. A jornada parece durar milhares de quilômetros. Estou paralisado de medo de que algo vai acontecer e me impedir de alcançar meus sonhos.

Finalmente chego à estação de Kikuyu. Assim como Limuru, ela foi inaugurada em 1899. Alguém abre as portas atrás de mim, começa a verificar as ferramentas e diz "está aqui", enquanto eu pulo para fora com meu caixote. O homem sorri, fecha a porta e se afasta.

Eu fico ali na plataforma da estação observando os trens que servem passando, dessa vez com alívio e gratidão. Olho ao redor e vejo algumas lojas. Arrasto meu caixote até uma delas. Não consigo acreditar que estou na cidade de Kikuyu. São duas fileiras de lojas indianas parecidas com as de Limuru, mas em menor número. Mas não estou interessado nos comerciantes indianos atrás dos balcões nem nos clientes africanos. Eu superei um obstáculo, mas tenho outro com que me preocupar.

O papel com as informações que eu recebi da escola dizia que um ônibus iria encontrar os alunos na estação. Eu cheguei atrasado. O ônibus deve ter vindo e partiu sem mim. Não faço ideia do local onde fica a escola, não conheço a distância até lá. Eu me aproximo de um estranho que me olha de soslaio e então aponta para uma estrada, murmurando algo sobre atravessar os charcos de Ondiri, e então se afasta. Vou ter que vadear pelos charcos de Ondiri como eu costumava fazer em Manguo, exceto que na época não carregava nada mais pesado que o ovo de um pássaro, ou uma trouxa de roupas úmidas. Agora eu carrego um caixote com meus pertences. E então me lembro da história de Ondiri que eu lera em *Mwendwa nĩ Irĩ* e nas histórias de Ngandi sobre pessoas que desapareciam nos charcos para nunca mais serem vistas. Seria o mesmo Ondiri? Não, eu não vou passar pelo charco de Ondiri, não importa o que aconteça. Irei pela estrada.

Estou prestes a começar a caminhar na direção da estrada apontada pelo estranho quando o ônibus escolar chega para outros alunos vindos no trem de Mombasa, que acabava de entrar na estação. Eu vou até o ônibus. O professor, que depois descubro ser o diretor interino, sr. James Stephen Smith, verifica meu nome na lista e me diz para entrar, e os outros estudantes fazem o mesmo.

É só depois que entro no ônibus e me sento que dou um suspiro de alívio e ouso olhar para a frente. Um novo mundo. Outra jornada. Alguns minutos mais tarde, em uma junção saindo da estrada de Kikuyu, vejo uma placa com letras enormes e um texto tão pessoal que acho que foi escrito só para mim: BEM-VINDO À ESCOLA DE ENSINO MÉDIO ALIANÇA. Ouço a voz de minha mãe: Isso é o melhor que você consegue fazer? Eu respondo a ela de todo o meu coração: Sim, mãe, porque eu também sei que o que ela realmente está me pedindo é a renovação de nosso pacto — de sonhar mesmo em tempo de guerra.

Irvine, Califórnia
12 de fevereiro de 2009

Estação de Limuru.

Agradecimentos

Agradeço a Njeri wa Ngũgĩ, que me sugeriu este livro; Gloria Loomis, que me disse que isto não poderia esperar; Kĩmunya, minha assistente-geral no Quênia; Kenneth Mbũgua, que providenciou as fotos e informações sobre os nossos dias de escola; Charity W. Mwangi, que me deu referências sobre Kĩambaa e Banana Hills; Neera Kapila pelos dados sobre as estações de trem e a fotografia da família indiana; e, como sempre, minha assistente Barbara Caldwell, pela pesquisa na biblioteca e na internet e pelo trabalho editorial.

ESTE LIVRO, COMPOSTO NA FONTE FAIRFIELD, FOI IMPRESSO

EM PAPEL PÓLEN NATURAL 80G/M², NA CORPRINT.

SÃO PAULO, BRASIL, OUTUBRO DE 2022.